LE JARDIN
DES DÉLICES

Éditeurs:
LES ÉDITIONS LA PRESSE, LTÉE
7, rue Saint-Jacques
Montréal H2Y 1K9

Maquette de la couverture:
JEAN PROVENCHER

Dépôt légal:
BIBLIOTHÈQUE NATIONALE DU QUÉBEC
4e trimestre 1975
ISBN 0-7777-0166-9

Roch Carrier

LE JARDIN DES DÉLICES

roman

 LA PRESSE

I

C'est le temps des pacages gris, des branches nues, des feuilles pourchassées par le vent, la saison des fenêtres que l'on referme, le temps du parfum du bois brûlé; c'est la saison des orignaux crucifiés sur le toit des voitures triomphantes qui s'en retournent vers les villes. Octobre plane dans le ciel de la campagne; ses ailes étalent l'automne rouge. Sur leur montagne, les villageois peuvent apercevoir l'hiver au loin. Les femmes sortent les vêtements chauds des coffres de cèdre, elles tirent des armoires les couvertures de laine. Les mains rougies par le froid, les hommes calfeutrent les interstices entre les fenêtres et les murs, entre le bois et le ciment. Maugréant, ils placent une pelle dans le coffre des automobiles. La neige ne tardera pas à recouvrir la route. Pendant que les femmes empilent les pots de confitures sur les rayonnages, les hommes, postés aux fenêtres, guettent l'hiver. Les champs sont cendreux. Les arbres ne sont plus qu'os séchés. Tout paraît lointain. Chacun se sent vieux. Le vent passe et laisse un peu d'automne dans les âmes.

La nuit gruge le jour, une nuit épaisse comme de la terre noire. Le jour fini, il n'y a plus de pâtis, plus de champs, plus de cailloux: il ne reste que cette nuit noire dans laquelle s'enlisent les maisons et les enfants qui se hâtent, dans leurs chandails de laine. Aperçues de loin, les fenêtres allumées qui bordent le chemin de la montagne ressemblent à un filon d'or dans la terre de la nuit.

À l'Auberge du Bon Boire, les clients ont le dos voûté, la tête penchée au-dessus de leurs verres, les yeux attentifs à l'effervescence de la bière: ils cherchent des signes de l'avenir.

— Le passé, i' faut l'enterrer. Le mettre dans un trou plus creux qu'un cadavre. Pelleter toute la terre et les roches de la montagne par-dessus. Pour aplatir la bosse, organisez une grande danse! Que toute la paroisse danse su' la tombe du passé! Que tout le pays vire fou à danser su' le passé! Pis mettez pas d'épitaphe!

On ne connaît guère l'homme qui parle, mais on connaît son nom. Monsieur J. J. Bourdage a fait distribuer sa carte de porte en porte, il en a laissé des tas sur les tables de l'Auberge, dans la voiture du taxi et sur les bancs de l'église. Monsieur J. J. Bourdage est le vice-président d'une compagnie américaine. Il porte une bague à chaque doigt. Pour annoncer des paroles importantes, sa main chatoyante lève à la pince son grand chapeau blanc à large rebord et le pose sur la table. Ses yeux se remplissent du silence de sa réflexion. Puis il laisse échapper quelques mots entre ses dents où brille l'or:

— L'avenir va frapper à votre porte...

Un massacre de la musique a lieu à l'Auberge du Bon Boire. Des danseurs gigotent. Un petit chanteur hurle avec la voix de sa mère.

— L'avenir, allez-vous le laisser entrer? Ou bedon allez-vous faire comme les Canadiens français ont toujours faite de père en fils: vous barricader comme si c'était un ours blanc?

Monsieur J. J. Bourdage a presque crié, d'une voix qui ne doute pas. Les musiciens tortillent leurs cordes électriques. Les poumons de l'orgue vont éclater. Des rayons lumineux écrasent leurs couleurs rouges, jaunes, roses, bleues sur les buveurs. Chaque mot anime leurs visages comme la brise chiffonne l'eau. Les éclairs colorés s'entremêlent et s'éparpillent. Dans ce brassage de bruits, de couleurs et de nuit, les visages disparaissent pour ne laisser que l'éclat des yeux.

— À l'avenir!

Monsieur Bourdage lève son verre. Autour de lui, les buveurs l'imitent:

— À l'avenir qui s'en vient sur des roues en or!

Il les regarde l'un après l'autre:

— Le carosse de l'avenir va vous prendre, malgré vous!

Monsieur Bourdage tient son verre à la main, mais il ne boit pas. Les yeux, dans la pénombre, brillent de l'or de l'avenir.

— La grande faiblesse du monde d'aujourd'hui, c'est de manquer de foi. Y a pus de foi dans notre siècle.

Monsieur Bourdage se lève, pousse des chaises, des buveurs, se fraie un passage parmi les danseurs emmêlés. Il saute sur le plateau de l'orchestre, pousse le petit chanteur qui cesse de brailler. L'orgue se tait, puis la batterie et les guitares. Il s'empare du microphone:

— Excusez l'interruption temporaire... Vous me connaissez... C'est pas que j'aime pas le petit tapage de l'orchestre, mais je tiens à vous annoncer officiellement que vous dansez sur de l'or! Quand vous allez rentrer sous vos couvertures cette nuit, vous allez dormir sur de l'or! La science le prouve. Donnez-moé quelques semaines et vous aurez la preuve. En attendant l'avenir, j' voudrais offrir une tournée générale. Même aux musiciens qui massacrent la musique comme les Anglais massacrent notre français!

Monsieur J. J. Bourdage retourne à ses compagnons. Au microphone, le petit chanteur bégaie, l'orgue reprend son souffle, le batteur va frapper sur ses caisses. La main aux bagues rutilantes enlève le chapeau blanc et le pose sur la table:

— L' paradis terrestre, c'était pas dans le passé; c'est devant nous. La science le prouve. Sortez de votre maudit passé. Vous êtes assis dans le passé comme vous étiez dans la bedaine de votre mère. Aujourd'hui, c'est déjà le passé. L'avenir est là, en avant, qui pète comme un moteur de voiture sport prête à sauter par-dessus le premier mille. Le monde entier crépite comme un moteur. Débarrassez-vous du passé. L'avenir est icitte. Y a plus d'or dans vos montagnes qu'y a d'enfants dans votre descendance. Demain, y aura assez d'or pour nourrir les cochons — si les cochons aiment ça.

Il se lève. Les doigts où les bijoux s'entortillent reprennent le chapeau blanc:

— On va se revoir! Ce que j'ai dit, la science va le prouver!

Au comptoir, il étale son carnet de chèques et griffonne:

— J' te laisse un chèque en blanc. Jusqu'à minuit, c'est moé qui paye. Sers-leur c' qu'i' veulent boire. N'importe quoi, sauf le champagne. Le champagne, ça sera pour plus tard!

La musique devenue plus douce le suit dehors, quand il marche vers sa Cadillac blanche bien découpée dans la nuit. Il chantonne. L'orignal écartelé sur le toit a saigné. La voiture est striée de dégoulinades sanglantes. Il met en marche les balayeurs du pare-brise. Dans la route étroite et flexueuse, la Cadillac fuit avec des balancements de grosse femme. La nuit est épaisse. Les lendemains seront beaux. Elle bouge comme un rideau avant le spectacle. La terre tourne le dos à la nuit lovée sur ses secrets.

— L'or! l'or! l'or! répète J. J. Bourdage en riant.

La nuit ne voile pas les pierres qui scintillent dans les champs noirs.

Depuis que Monsieur J. J. Bourdage est parti, les buveurs n'ont plus rien à dire et ils n'ont rien à écouter. La Serveuse se penche au-dessus d'eux et personne ne lève les yeux vers l'encolure de sa blouse.

— Qu'est-cé que Monsieur Bourdage peut vous offrir?

Le plus charnu fait signe de couvrir la table.

— Tu vas ruiner Bourdage.

— Oubliez pas qu'on est riches, à ce qu'i' paraît.

— Si on ruine Bourdage, ça va lui apprendre à pas jeter son foin par les fenêtres et à pas péter plus haut que le trou!

— C'est un maudit beau parleur...

— Si un homme s'endort avec un discours semblable, dit Petit-Lecourt, i' a pas envie de se réveiller le lendemain.

Le Gros ne s'aperçoit pas qu'il imite le geste de Bourdage: du bout des doigts, il pose sa casquette de chasse rouge sur la table avant de parler:

— Pour dire la vérité, moé, j'ai aimé ça l'entendre parler.

— Dans le monde, dit Petit-Lecourt, y a pus beaucoup de gens qui savent encore parler. Avec la maudite télévision, le monde apprend ben plus à ronfler qu'à parler. J'écoutais le Bourdage et j' pensais en moé-même: la parole est revenue en vie.

— Tu les buvais ses menteries à pleins verres.

Gros-Douillette frappe son verre plusieurs fois contre la table:

— Si on marchait su' l'or, on le saurait. Y a nos pères qui ont vécu icitte avant nous autres. Pensez-vous qu'i' auraient mangé de la misère trois fois par jour si y avait eu de l'or dans les parages? L'or, i' l'auraient trouvé. I' ont arraché assez de souches, i' ont assez labouré, i' ont creusé assez de puits et assez de tombes pour la voir, la maudite or, si y en avait.

— I' en ont pas trouvé, conclut Petit-Lecourt. C'est

la preuve que l'or de Bourdage, c'est une maudite menterie.

— Un grand parleur...

— Mais un petit chasseur, coupe Petit-Lecourt.

— Le Bourdage est reparti, comme tout le monde, avec son orignal, dit un fumeur de cigare.

— Bourdage, i' a pas eu la force de tirer un coup de fusil, assure Petit-Lecourt.

— Son orignal, je l'ai vu, dit Gros-Douillette, su' sa Cadillac blanche. Vous l'avez vu itou. I' est pas tombé comme une crotte d'oiseau.

— Bourdage, c'est un beau parleur. C'est pas un orignal qu'i' charchait icitte. Ah! i' s'est promené dans les champs, dans les bois, i' a fait le tour des buttes, i' est allé tâter toutes les petites bosses du pays...

— Seulement les bosses du terrain, précise Gros-Douillette en poussant un regard vers la Serveuse qui porte son plateau au-dessus de sa tête... Bourdage a pas l'air d'être trop attiré par les femelles.

— I' est passé trois semaines à quatre pattes dans nos terres. I' cherchait certainement pas sa mére dans les talles de beluets.

— I' cherchait de l'or.

— I' en a pas trouvé, c'est pour ça qu'i' est parti.

— I' a pas d'or icitte. Qu'est-ce qu'on aurait fait au bon Dieu de mieux que les autres pour qu'i' nous envoie de l'or?

— Icitte, en dessous de la roche, qu'est-cé que tu trouves? Du tuf ben serré. Si y avait de l'or là-dedans, on le saurait pis on aurait plus de banques dans le village qu'on a de porcheries.

— Bourdage a dit qu'on marche su' l'or...

— Si i' avait trouvé la fortune, i' serait pas parti; i' aurait pris racine dans le pays.

— Monsieur Bourdage a dit qu'i' va revenir.

— Le crés-tu?

— C'était pas un chasseur. En trois semaines, i' a pas réussi à apercevoir un seul maudit orignal, quand y a assez d'orignals qu'i' faut les tasser pour voir les arbres! Son maudit orignal que vous avez vu sur la Cadillac blanche, c'est moé qui l'ai tué. (Petit-Lecourt enlève son chapeau et le pose sur la table, sans y penser, à la manière de J. J. Bourdage.) I' est venu, un jour, me dire: « Moé, j' sus pas intéressé à tuer. Mais si j' tue pas mon orignal, les gens vont se demander qu'est-ce je fais dans le bois. Si tu me trouves un orignal, si tu me le tues, j' te dirai qu'est-ce que j' cherche. » J' lui en ai trouvé un, de la grosseur qu'i' avait commandé. Cet homme-là était content! Content! C'est là que le Bourdage m'a dit en secret confidentiel et juré su' la terre: « Y a assez d'or icitte qu'on le voit à travers les roches. » On a attaché l'orignal sur le toit de la Cadillac blanche, i' a appuyé son carnet de chèques sur le flanc de l'orignal, une belle grosse bête, et i' a écrit le montant que j' voulais pour le travail. Pis sa signature.

Petit-Lecourt a le chèque dans sa poche de chemise. Il l'en sort, le déplie, et chacun autour de la table peut lire le montant du chèque et la signature de J. J. Bourdage.

Peu avant minuit, la Serveuse vient annoncer que Monsieur Bourdage offre sa dernière tournée générale. Les buveurs de cette table sont ivres. Depuis longtemps, ils n'entendent plus le tapage de l'orchestre qui, dans ce bout du monde, si loin dans la nuit, affirme sous le grand silence noir que la vie est intense, vibrante, dansante. Sur la piste, quelques couples, ivres d'eux-mêmes, dansent au rythme de leur propre musique intérieure. Les buveurs ne parlent plus. Endormis sur leurs chaises, ils rêvent.

— L'or, dit Petit-Lecourt, j' sais où est-ce qu'y en a.

— Mais tu vas pas nous le dire, lui reproche Gros-Douillette.

— Y en a dans le cimetiére.

Petit-Lecourt s'esclaffe, éructe, tousse, étouffé de rire devant l'air ahuri de ses compagnons.

— C'est vrai, concède Gros-Douillette: si quelqu'un

a des dents en or, i' a pas le temps de passer à la banque déposer ses dents avant d'aller au croque-mort.

Petit-Lecourt ne rit plus:

— Vous vous rappelez du Notaire Caillouette? Vous vous rappelez qu'i' allait pas écouter toutes les messes du Curé? On racontait qu'i' avait lu des méchants livres, des livres qui dérangent les idées. Pour tout dire, le Notaire avait des doutes sur la religion telle que vendue par le Curé de ce temps-là. I' se sont pas chicanés. Dans un troupeau d'ignorants comme nous autres, i' étaient les deux seuls à avoir appris le latin. Le Notaire Caillouette avait de gros doutes sur le Paradis de Monsieur le Curé: le Paradis où t'es un ange avec de belles ailes, où tu regardes le bon Dieu face à face. Si t'aimes pas sa face, tu continues de la regarder parce que t'es condamné au Paradis. Le Notaire Caillouette croyait pas à ce Paradis-là. I' croyait qu'une fois mort, i' allait revenir su' la terre. R'venir su' la terre... Si c'est pour voir la même chose que pendant la vie, moé, personnellement, j' dis que c'est pas la peine de mourir. Le Notaire Caillouette pensait que son âme continuerait de vivre après sa mort, mais pas au Paradis. Su' la terre. I' avait lu ça dans ses livres de païens. Le Notaire était un peu fou: quand on est mort, on est en dessous de la terre, pas par-dessus. Dans sa folie, i' a été notaire jusqu'au bout. I' paraîtrait — j' vous le dis confidentiellement en confidence — que le Notaire a écrit dans son testament qu'on devait mettre dans son cercueil autant d'argent qu'i' en faut pour passer un hiver en Floride. Avec cet argent-là dans ses poches, l'âme du Notaire pourrait errer sur la terre assez confortablement. C'est pourquoi j' peux vous dire que dans le cimetière, en dessous de la pierre tombale du Notaire Caillouette, y a de l'or. Le Notaire a voulu être enterré avec ses plumes au boutte en or, sa montre en or, sa pince à cravate en or, ses lunettes en or et son porte-feuille en cuir de vache espagnole rempli de piasses garanties par l'or de la Banque de la Reine du Canada.

—— Si les piasses avaient pas été semées dans la méchante saison, ça aurait donné une maudite belle récolte!

— Bourdage avait raison: on marche pis on dort su' l'or.

— Su' la fortune...

— Faudrait aller la déterrer...

— La déterrer, répète Gros-Douillette...

Plusieurs buveurs sont endormis, la tête sur la table, parmi les bouteilles et les verres. Les autres écoutent l'histoire que raconte Petit-Lecourt, mais ils sont trop ivres pour l'entendre.

— Oui, répète Petit-Lecourt, la déterrer.

— La déterrer! ordonne Gros-Douillette en se levant.

Sortis de l'Auberge du Bon Boire, Petit-Lecourt confie à son compagnon:

— Cette histoire-là, j' la tiens du garçon du croque-mort.

— As-tu une pelle?

— J'ai ma pelle à neige dans mon auto. Une précaution d'automne.

— Moi aussi, j'ai ma pelle à neige.

Pelle sur l'épaule, Petit-Lecourt et Gros-Douillette montent en silence vers le cimetière à côté de l'église. La rue principale est endormie. La nuit efface les maisons. Gros-Douillette ne peut plus savoir s'il a les yeux ouverts ou les yeux fermés.

— Maudite biére!

— Vois-tu quelque chose?

— J' vois le cimetiére.

La barrière est ouverte. Ils avancent à travers le désordre gris des monuments. Leurs pieds heurtent des bourrelets, glissent, s'empêtrent dans l'herbe qui chuinte.

— Es-tu certain que c'est icitte?

— J' sais faire la différence entre le cimetiére et mon jardin.

— Le Notaire, i' est peut-être pas icitte.

— Icitte, les pensionnaires déménagent pas ben ben souvent.

Depuis qu'ils sont entrés dans le cimetière, il leur semble que la nuit est plus pâle. Les pierres tombales et les croix se découpent clairement. La nuit n'empêche plus de voir les bosses dans la terre qui ont la forme de corps allongés sous les draps. Ils avancent avec prudence. Ils n'aimeraient pas s'y enfoncer, s'enliser dans un cercueil pourri.

— On est-i' tout seuls?

Comme d'un souvenir très ancien, Gros-Douillette se rappelle des buveurs attablés à l'Auberge du Bon Boire:

— Les autres, i' viennent pas avec nous?

— Un plus un deux, c'est assez quand y a un trésor.

Gros-Douillette est étonné que les amis ne les accompagnent pas. La bière a submergé son esprit. Il croit comprendre que le cimetière est dans l'Auberge car il entend la musique de l'orchestre et il voit valser l'ombre des danseurs. Appuyé sur le manche de sa pelle, il réfléchit:

— I' fait ben noir à soir... Hé! Petit-Lecourt. T'es mon homme de confiance et j' sus ton homme de confiance...

Petit-Lecourt ne prête pas attention à la dérive de son compagnon.

— C'est icitte, dit-il avec assurance, en frappant à petits coups de pelle une rondeur dans le terrain.

La nuit efface le village et elle règne sur l'esprit:

— Maudite biére! se plaint Gros-Douillette.

Il ouvre les yeux, il les ferme, il ne voit que la nuit:

— Vois-tu quelque chose, toé?

— J' vois le cimetiére.

— On est-i' tout seuls?

— J'espère ben que le Notaire est avec nous.

— Demande-z-i' donc de nous aider à pelleter. Lui, i' pourrait gruger la terre par en dessous, pis nous, par-dessus.

Cette blague est si drôle: Gros-Douillette pousse un rire, comme un cri, que les échos du pays se transmettent de cimetière en cimetière. Petit-Lecourt le réprimande:

— Essaie donc d'avoir un peu de respect pour les morts.

L'ongle de son pouce frotte une allumette: entre les dentelles et les entrelacs sculptés dans le granite, la petite flamme cherche et trouve un nom: *Amédée Caillouette, notaire diplômé et dévoué qui ne voudrait jamais quitter la terre.* Petit-Lecourt n'a lu que le nom du Notaire; il éteint la flamme.

— C'est icitte.

— Qu'est-cé qui est écrit?

— C'est en latin.

Il enfonce sa pelle dans la terre. Gros-Douillette l'imite. La terre lui paraît dure, pesante. Il ne rit plus. Une certaine inquiétude enlève de la force à ses muscles:

— C'est-i' assuré que le Notaire croyait pas au ciel ni au purgatoire ni à l'enfer?

— Dans ses livres, le Notaire avait lu que les morts après la mort restent su' la terre: en errance.

— Errance?

— Ça veut dire aller et venir.

— Moé j'aime pas ça un mort qui va et vient pendant que j' sus en train de pelleter dans le cimetière. Changeons d'auberge!

Petit-Lecourt lui met la main sur l'épaule, avec amitié, pour le retenir:

— Faut pas se sauver, on a les pieds deboutte su' une mine d'or!

Des paroles de Monsieur Bourdage flottent sur l'onde opaque de la nuit:

« L'or, vous dormez sur l'or... »

Les pieds poussent sur les pelles pour les enfoncer à travers la couenne, les pelles ricochent sur des cailloux, sur des racines. Les bras se crispent. La terre rejetée, aussi noire que l'herbe, grince en retombant. Les cailloux sonnent. La nuit est si calme. Le froid si placide. Mais la terre... on dirait que la terre respire. Sous chaque bosse, une poitrine respire. Un souffle se cache derrière chaque monument funéraire. L'on ne voit rien. Mais la nuit est transparente. Ils soulèvent la terre avec des bruits secs de déchirure. La pelle de Gros-Douillette heurte quelque chose de mou et qui n'a pas de son.

— Maudite nuitte! On voit rien!

Ils aperçoivent les planches de la caisse. La pourriture a dévoré le bois qui est devenu une boue fibreuse. En dessous apparaît la croix d'argent qui brille sur le couvercle du cercueil. Petit-Lecourt, à petits coups de pelle, en tâte la dureté.

— On est polis en maudit, fait Gros-Douillette, on frappe avant d'entrer.

En sueurs, il enlève sa chemine de laine. Petit-Lecourt s'agenouille au bord de la fosse. De la main, comme l'on chasse les miettes d'une nappe, il dégage le couvercle de la terre, des cailloux et des débris accumulés. L'ongle de son pouce frotte une allumette. La flamme s'ouvre et s'éteint.

— C'est toé qui a soufflé?

— Non, assure Gros-Douillette, j'ai assez peur que j' respire pas.

— Notaire r'tenez votre souffle!

Une autre allumette claque dans la main de Petit-Lecourt: elle ne s'éteint pas. Elle se promène autour du couvercle:

— De belles vis en croix à l'épreuve de la rouille; brillantes comme des neuves.

Gros-Douillette voudrait regarder ailleurs, mais les monuments lui paraissent se déplacer dans le cimetière: marcher comme des promeneurs, aller d'une tombe à l'autre, s'incliner, se saluer, s'agenouiller; il les entend murmurer. C'est insupportable: il baisse les yeux sur le cercueil du Notaire et n'en soulève pas le regard. Il voudrait penser à autre chose, au corps de cette fille allongée, poitrine offerte, jambes ouvertes, photographiée sur une peau de léopard, dans cette revue qu'il garde cachée sous la banquette de sa voiture. Il voit cette image se peindre sur le couvercle du cercueil, mais la peau fruitée de la fille craquelle et fond comme une fine glace: les os apparaissent. Il détourne le regard, il ne veut pas voir ça. Les poumons de Gros-Douillette pèsent lourds comme s'ils contenaient de la pierre. Et le vent est si froid. Il renfile sa chemise. Il fixe son regard sur la petite flamme qui s'éteint.

— Ton couteau, demande Petit-Lecourt.

Gros-Douillette cherche dans ses poches, trouve le couteau, le passe à son compagnon qui se met en frais de dévisser le couvercle: une vingtaine de vis en forme de croix à tourner. Il n'a plus besoin d'allumette pour voir. À genoux sur le cercueil, Petit-Lecourt aura bientôt fini. Encore une. Il a fini.

— Tu l'ouvres! ordonne Petit-Lecourt.

— Tu l'ouvres! dit avec autant d'autorité Gros-Douillette.

— On ouvre! dit Petit-Lecourt couvert de sueur.

— On ouvre! répète Gros-Douillette si apeuré qu'il n'a plus de sueurs.

Très lentement, avec prudence et précaution, tremblants et fiévreux, délivrés de toute ivresse, leurs mains agrippent le rebord du couvercle du cercueil, leurs doigts se crispent:

— Un!

— Deux!

— Trois!

— Allons!

Leurs muscles se tendent dans un effort qui ressemble à de la douleur. Ils lèvent le couvercle. Dans un éclair noir, toute la nuit de la terre est rendue plus silencieuse, plus obscure par la nuit qui jaillit de cette porte. Dans cette nuit, Petit-Lecourt et Gros-Douillette sont de blancs fantômes. Leur silence est long comme un long rêve.

— Y a-t-i' quelqu'un? demande à la fin Gros-Douillette.

Petit-Lecourt fait claquer une allumette, il se penche et abaisse la flamme.

— Le Notaire est là?

— S'i' se présente déguisé comme ça chez sa blonde, elle va pas le reconnaître, mais j' pense que c'est lui.

Gros-Douillette ose desserrer les paupières:

— Ça a l'air d'un lapin trop cuit qui a collé au fond de la casserole.

— Pauvre Notaire, s'attriste Petit-Lecourt, i' a cru toute sa vie que son âme se promènerait partout su' la terre après sa mort... Qu'est-cé que c'est ça?

Un petit objet brille à travers le tissu mâchonné du costume du Notaire, du côté du coeur: un briquet. Petit-Lecourt le saisit du bout des doigts « c'est comme de la vase! », il jette l'allumette, il presse le briquet en différents endroits. Le feu jaillit!

— J' vois sa pipe! s'écrie Gros-Douillette.

— I' a un jonc, des bagues!

Du bout de sa pelle, Gros-Douillette indique un déchet qui doit avoir été le ventre du Notaire:

— Ça brille là itou, au-dessus du nombril!

— Sa montre en or!

Petit-Lecourt cueille l'objet avec piété. Il n'ose cependant prendre les bagues: il faudrait toucher aux mains, décroiser les doigts, ces petits doigts qui ressemblent à des carottes pourries.

— Ramasse les bagues!

— Ramasse les bagues!

— On les ramassera plus tard!

— Ah! Laissons-y ses bijoux!

— Qu'i' les garde ses maudites bagues!

— Si la légende dit la vérité, on devrait trouver de l'argent.

Petit-Lecourt réfléchit. Gros-Douillette s'illumine d'intelligence:

— Dans l'oreiller...

Avec une politesse un peu cérémonieuse, ils soulèvent avec leurs pelles cette citrouille poilue qui peut-être se souvient d'avoir été autrefois une tête de notaire. Dans ce lieu humide, la main de Petit-Lecourt rencontre un objet flasque que la flamme du briquet révèle être un portefeuille.

— Et ça, qu'est-ce que c'est?

À la hauteur des mains du Notaire, une boîte. Petit-Lecourt éclaire l'endroit. Une cassette rouillée.

— C'est-i' une boîte à lunch?

Petit-Lecourt s'empare de l'objet. C'est lourd.

— Pauvre Notaire. Avec sa religion de fous, i' s'est fait fourrer autant que le reste des mortels avec la nôtre.

Au bord de la fosse éclairée par la flamme ténue qui résiste au vent, le regard des deux amis s'attarde un moment: ils contemplent ce qu'il est devenu.

— On a beau essayer de l'aider, dit Gros-Douillette, pelleter sa montée, ouvrir la porte, le Notaire veut pas sortir.

— Le Notaire cuve sa mort.

Ils ont essayé de n'être pas tristes, ils ont essayé de rire, ils n'ont réussi qu'à être plus tristes encore. C'est en pleurant à gros sanglots qu'ils rabattent le couvercle du cercueil.

— Maudit que la mort est triste!

— Maudit que la vie est triste!

Brandi au bout du bras de Petit-Lecourt, le briquet est un flambeau triomphal qui signale la victoire des deux chercheurs de trésor.

— Quand est-ce qu'on partage?

Se rappelant soudain qu'ils sont en lieux interdits, Petit-Lecourt éteint la flamme. Ils essaient de confondre leurs ombres avec celles de la nuit et des pierres tombales.

J. J. Bourdage a peine à voir la route. La nuit retombe trop vite et trop noire sur la déchirure lumineuse des phares de sa Cadillac blanche; elle vient éclabousser le pare-brise. Souvent la route se dérobe dans un bond vif. De temps à autre, une petite maison de cèdre saute devant la Cadillac et disparaît aussitôt dans la nuit. J. J. Bourdage serre son volant, un pied poussant sur l'accélérateur, l'autre prêt à s'écraser sur le frein, mais ses paupières tombent sur ses yeux et sa tête a le poids d'une pierre dans l'eau obscure de la nuit. Tout à coup, une clôture de bois lui barre le chemin. La pédale de frein enfoncée, les roues dérapent sur le gravier comme sur la glace. Ses phares éclairent un mur de bardeaux, la voiture y plonge, il éclate. La Cadillac ne dérape plus, elle s'immobilise. J. J. Bourdage ouvre sa portière. Il entend hennir, bêler, meugler. Il descend. L'herbe est mouillée. L'air le surprend comme l'eau froide au visage. Il fait le tour de sa voiture. Il n'est plus sur la route. Il soupire. Mieux vaut être là qu'ailleurs: dans un fossé, contre un arbre, dans un taillis ou renversé dans un marécage. Il pourrait reculer, retrouver la route. Il rentre dans sa voiture. Il éteint les phares. Il ne voit plus rien que la nuit. La grange qu'il a frappée a fondu dans le noir. Sa Cadillac s'y dissout. Là-haut, les étoiles ont sombré dans le ciel de novembre. Il éteint son moteur. Il dormira quelques minutes et il poursuivra son voyage. Il faut prendre certains risques dans la vie, mais jamais celui de débouler bêtement en bas de la route. Il dormira. Il se laisse tomber sur sa banquette. Il faut prendre des risques: tout risquer s'il y a à gagner, risquer sa chemise et sa peau. La douceur de cette pensée bénéfique s'étend comme une caresse sur son visage et sur son corps. Le cuir de sa banquette a des petits chuchotements de soie et de dentelle; du fond de la nuit lui revient en écho, un autre chuchotement, un craquètement, d'aussi loin que son enfance, des bruits d'étincelles, la crépitation de la paille sous son petit corps. L'enfant essaie de ne pas bouger dans cette nuit qui ressemble à un trou noir.

Sous le poids de son corps enroulé sur lui-même, la paille grésille et c'est au feu que songe l'enfant dans sa chambre noire, un feu rouge comme du sang, et il n'ose se retourner vers sa fenêtre sans rideaux car c'est la nuit noire qu'il verrait et il verrait aussi ce feu rouge, et il ne veut pas tomber dans le grand trou. L'enfant serre contre lui ses bras et ses jambes. Il n'a pas mangé ce soir. Il entend des cris dans son ventre. Il pense: des petites souris crient dans mon ventre. La paille crisse. J. J. Bourdage n'ose plus bouger; la nuit, dans ses bras, l'a ramené à la pauvre paillasse de son enfance. Il écoute. La paille sous lui respire: un souffle enroué.

— Non!

Son cri l'a réveillé; il s'assied sur la banquette de cuir véritable de la Cadillac blanche.

— Pauvreté maudite...

Il allume le moteur. L'engin meugle comme un gros boeuf; il l'aiguillonne et le gros boeuf meugle encore plus fort, tout secoué par les battements excessifs de son gros coeur métallique: du feu court dans ses artères d'acier; le gros boeuf vibre comme un immense gong à chaque injection de l'accélérateur, il devient turgescent dans sa peau d'acier et cela gronde et cela vibre et cela tourne comme si, à cet endroit exact, se situait le coeur de la terre; le pied sur l'accélérateur, un pied passionné, J. J. Bourdage fait battre le coeur de la terre: tout autour, la nuit tremble. Ces ondes s'enroulent, se déroulent, se multiplient très loin et chavirent finalement de l'autre côté de la nuit, dans le silence; le pied insiste sur l'accélérateur et la nuit, d'écho en écho, d'onde en onde, répète que J. J. Bourdage dans sa Cadillac blanche, a chassé la pauvreté; aussi longtemps que grondera le moteur, la pauvreté apeurée fuira. J. J. Bourdage a dans son sang autant de force que la Cadillac blanche. Aussi vite que tourne le moteur, il voudrait crier:

— J' me suis débarrassé de la pauvreté! J' me suis débarrassé de la pauvreté! J' me suis débarrassé de la pauvreté!

Il crie, toutes fenêtres ouvertes, sa voix couvre celle de l'engin. La nuit trop paisible se crispe sous ces mots lancés comme des coups de fouet. L'ancienne pauvreté s'est noyée dans l'abîme qui n'entend pas ces cris. À la fin, il se tait, épuisé. Il éteint son moteur. Il remonte ses vitres de portes, il s'allonge sur la banquette aussi douce que le rêve d'un corps féminin. Les chuchotements de l'ancienne paille se sont tus. S'endormir est une délectable jouissance: un bonheur de riches. S'endormir sans penser au matin. S'enrouler dans la nuit... Sous l'écorce sombre, des bourgeons se préparent à éclater en lumière...

Les bras chargés de trésors, Petit-Lecourt et Gros-Douillette longent les murs de l'église. Un soupirail est ouvert à la hauteur du sol: un oubli, probablement, du sacristain qui s'en sert pour amener au sous-sol les montagnes de bois d'érable nécessaires au chauffage de l'hiver. Petit-Lecourt examine le soupirail.

— Si on entre là-dedans, dit Gros-Douillette, on sera à l'abri.

Petit-Lecourt rallume le briquet du Notaire et avance la flamme dans l'ouverture.

— On sera à l'abri pour le partage. Après, on ira à l'Auberge...

— On offrira une tournée générale, en disant: merci Notaire!

Petit-Lecourt introduit les pieds dans le soupirail et se laisse tomber dans le sous-sol en glissant sur le ventre. Le voici debout. Il ramasse ses biens qu'il avait déposés sur le sol devant le soupirail. Ça sent la sève d'érable. C'est bon! Gros-Douillette fait les mêmes mouvements, mais à cause de sa taille ballonnée, il s'immisce plus péniblement dans ce refuge.

— Le Notaire a assez d'essence dans son briquet pour se promener en Cadillac de Québec à Ottawa... Aller-retour!

Petit-Lecourt fiche le briquet dans la terre battue et ils s'agenouillent tous deux près de la flamme.

— Divisons nos trésors.

— Également.

— Justement.

— Le briquet, tu l'as. J' t' le donne.

— La montre, j' t' la donne.

— La pipe?

Petit Lecourt regarde la marque des dents du Notaire sur le tuyau.

— On la donne au diable...

Il arrache le portefeuille des mains de Petit-Lecourt:

— Dépêchons-nous!

Les mains frémissantes, respirant si fort qu'il suffoque, Gros-Douillette dénoue la courroie de cuir. Elle est corrompue. Ses mouvements sont convulsifs. Elle se rompt. Petit-Lecourt l'observe. À cause de l'ombre qui tache son visage crispé, à cause de la flamme agitée qui ronge l'ombre, il lui semble que le visage de Gros-Douillette possède quelque ressemblance avec celui qu'il a vu dans le cercueil. La flamme chiffonne aussi le visage de Petit-Lecourt; pendant qu'il déploie les rabats de cuir, Gros-Douillette lève les yeux sur son compagnon: un peu plus pourri, pense-t-il, Petit-Lecourt pourrait se faire passer pour le cadavre du Notaire. L'angoisse, comme une main froide, lui griffe le dos: l'âme du Notaire, qui se promène sur la terre, pourrait ressembler à Petit-Lecourt. Les mains de Gros-Douillette sont paralysées sur le cuir tout imprégné de mort:

— Petit-Lecourt?

— Ouais...

— Es-tu Petit-Lecourt?

Des rires plus gros que l'église où ils sont abrités chassent la peur. Gros-Douillette écarte avec ses deux pouces les lèvres du portefeuille qu'il approche de la flamme:

— Y a mieux que d' l'or dedans; c'est des piasses!

— Partageons.

— Pas tout de suite. Ouvrons plutôt la boîte.

Gros-Douillette pose le portefeuille sur le petit tapis de lumière autour du briquet planté dans le sol et Petit-Lecourt y glisse la cassette de métal. Comment cela ouvre-t-il? Le couvercle est soudé par la rouille dans la cannelure.

— C'est cimenté dans la rouille comme de la glace, dit Petit-Lecourt.

— Passe-moé ça.

Les grosses mains de Gros-Douillette compriment le métal, le tordent, tentent de déchirer le joint. Inutilement. C'est une coquille incassable. Il la dépose sur le sol; la masse de son gros corps pesant sur ses gros pieds s'abat sur la cassette. En vain; c'est dur comme une pierre. Il saute encore, il s'acharne:

— Saute pas si fort, tu vas défoncer la terre!

La rouille se déchire. Il peut soulever le couvercle. Dans la lumière, ça brille. Gros-Douillette, penché sur la flamme, se penche encore plus. Il lit:

— Scotch Whisky...

— Ça vaut de l'or!

Une enveloppe est nouée au goulot par un ruban. Petit-Lecourt la déchire. Une carte de visite. À plat ventre sur le sol, il déchiffre une écriture encore lisible bien que l'encre soit imbibée dans le carton:

« *Monsieur le Notaire, au cas où votre âme se promènerait dans les pays froids, il ne faut pas risquer de prendre un refroidissement. De votre embaumeur qui vous souhaite un bon voyage.*

P.S. S'il n'y a pas de paradis après la mort et si vous avez eu raison de croire qu'on reste sur la terre au lieu d'aller au ciel ou en enfer, auriez-vous l'amabilité de me le faire savoir? Monsieur le Notaire, une bou-

teille, c'est peu; mais si vous avez soif, je vous invite à
passer chez nous; mon armoire à boissons est juste dans le
coin de la pièce où vous avez été embaumé: la clef est
accrochée derrière la patte avant droite.
   Lespérance et Fils, embaumeurs diplômés. »

— Penses-tu que le scotch est buvable?
— Le scotch, c'est comme l'argent, ça prend de la
valeur avec les années.
   Petit-Lecourt dévisse la capsule et porte le goulot
à ses lèvres:
— C'est ça le paradis!
   Il remonte la bouteille à sa bouche; le whisky du
défunt Notaire glougloute dans un silence d'éternité et
peu à peu confère au corps de Petit-Lecourt une chaleur
irrésistiblement douce. Absorbé par les événements de la
nuit, il a oublié qu'il frissonnait dans ce sous-sol humide
par une nuit de novembre. C'est une chaleur douce
comme s'il grandissait; ses os poussent comme un arbre
en lui, ses muscles frémissent; en ses os la sève crépite:
l'extase de n'être plus petit!
   Gros-Douillette lui arrache la bouteille: cet alcool
éblouissant change son coeur en oiseau ivre. La fortune
est à ses pieds, à côté d'une petite flamme arrachée à
l'autre monde et qui ne s'éteint pas. Petit-Lecourt lui reprend la bouteille:
— Plus on avance vers le fond, plus i' est bon...
   Il tend la bouteille à son compagnon qui se remplit
la bouche, écoute le chant du whisky dans sa gorge, dans
son corps, il ferme les yeux et laisse sa joue reposer contre celle de la nuit.
— La bouteille est vide; on sépare le trésor.
   Ils s'étendent sur le sol, près de la petite flamme. Les
gros doigts de Gros-Douillette tirent les billets du portefeuille:
— J' vois ben un zéro, mais j' vois pas ben si c'est
un dix, un vingt ou un mille...
— Tu sais pas lire.

Il approche la liasse de billets tout contre la flamme.

— Brûle pas ça!

Gros-Douillette est tout reconnaissant — la larme à l'oeil — que son ami ait hurlé. Perturbé par son bonheur, il a oublié que le feu pourrait brûler leur trésor. Une vague de reconnaissance, une vague plus grosse que l'église, se soulève en lui et roule et bouleverse son âme:

— J' sus content que tu sois mon ami, dit-il. Si j' t'avais pas, j' sais pas c' que j' ferais su' la terre...

— C'est des dix piasses, compte-les.

Sur le tapis de lumière jaunâtre, les billets s'ajoutent aux billets, des billets neufs, propres, sans rides, mais ornés des gravures d'autrefois.

— Vingt-deux... trente-trois, trente-quatre... quarante-trois... Et y en a encore! Icitte c'est ta part, là c'est la mienne. Égales.

— Sans toé, sanglote Gros-Douillette, j'aurais mis le feu à notre fortune. (Les sanglots étouffent sa voix.) Merci ben de m'avoir sauvé de la ruine. Merci!

D'un bras mou, il tend à Petit-Lecourt toute sa part en pleurant:

— Merci, mon ami!

Petit-Lecourt a-t-il le droit de refuser ce cadeau que Dieu lui offre dans la main d'un ivrogne?

Gros-Douillette se lève, lui tourne le dos, s'accroupit en lui présentant son derrière:

— Donne-moé un coup de pied au cul; quand j' pense que j'aurais pu mettre le feu à toute notre fortune.

— Imagine-toé pas que j' vas faire mal à un ami qui me donne sa part.

Il plie la liasse de billets et la dépose sur son coeur, dans la pochette de sa chemise.

— Bon! Quelle heure qu'i' est?

Penché dans la lumière du briquet, il lit:

— I' est trois heures et que'que chose...

— C'est la montre du Notaire?

Gros-Douillette l'a reconnue. Petit-Lecourt s'étonne

d'avoir regardé l'heure à cette montre et non à la sienne.
— Ouais, c'est la montre du Notaire...
— Ça fait qu'elle peut pas avoir la bonne heure...
Petit-Lecourt porte la montre à son oreille:
— Baptême, elle marche!
Ils sont paralysés, gelés comme si l'hiver les avait transpercés d'une flèche.
— Quelle heure as-tu, toé, su' ta montre?
Gros-Douillette lit attentivement:
— I' est trois heures et que'que chose.
— La même heure qu'à la montre du Notaire!
— Tu l'as ajustée.
— J' l'ai même pas r'montée.
Leur ombre crée deux énormes bonshommes étrangers sur le bois de chauffage empilé. La montre du Notaire dans la main, Petit-Lecourt est hypnotisé par l'aiguille des secondes que pousse un doigt invisible; il ne peut plus tenir cette montre en or, elle a une vie, elle brûle, elle lui échappe des mains en un bond surprenant. Gros-Douillette la ramasse. Ils se taisent, attendent.
— J' sus en train de suer tout ce que j'ai bu!
— Maudit que j'aurais peur si j'étais tout seul.
— J'ai soif.
— Il y a une autre bouteille.
— Iousqu'y a une autre bouteille? demande Gros-Douillette, constatant que la peur donne une voix étrange à son ami.
— Il faudrait que vous retourniez dans mon cercueil...
Sur le bois empilé, Gros-Douillette voit l'ombre de Petit-Lecourt, la sienne, et une autre, très longue, très maigre. Il voudrait crier:
— C'est le Notaire!
Mais...
Comment les deux compagnons sont-ils passés par le soupirail? Comment ont-ils traversé le village? Les voici, buvant, en sueur, buvant encore, suant, buvant

à se défoncer, à leur table de l'Auberge du Bon Boire. Petit-Lecourt annonce:

— Une tournée pour tout le monde!

Et Gros-Douillette voit la liasse des billets du Notaire s'éparpiller dans un envol frénétique sous le plafond et planer et redescendre lentement et tournoyer; partout, des mains poursuivent les billets, s'abattent comme des oiseaux de proie; partout, des pieds chaussés de grosses bottes grimpent sur les chaises et sautent sur les tables bousculant bouteilles et verres; partout, des cris affamés. Déjà, il n'y a plus un seul billet qui vole; ils ont tous été saisis et la Serveuse déverse des plateaux remplis de bouteilles sur les tables autour desquelles, après les cris et les rires et la chasse, le silence, le sommeil pèsent dans la fumée. D'un coin de la salle, quelqu'un crie:

— Si t'es si riche, envoie-nous donc une autre ondée de piasses!

La tête appuyée sur l'épaule de Gros-Douillette, Petit-Lecourt n'entend pas. En revenant à l'Auberge, le feu de l'enfer grappillait son âme; il a bu, il a bu pour le noyer dans la bière. Maintenant il dort. Gros-Douillette dort aussi. Mais sa bouche murmure:

— Un trésor...

— Envoyez-nous donc une ondée d'or!

— I' essaient de faire leu' gros Monsieur J. J. Bourdage! se moque celui qu'on appelle l'Arrache-clou, à cause de la forme de son menton.

Un autre buveur secoue les endormis:

— Où c'est que vous avez trouvé ça?

Ils ouvrent un oeil:

— Le Bourdage, bégaie Petit-Lecourt, nous avait avertis qu'on marche su' l'or...

— Mes semelles de bottines ont rien rencontré d'autre chose que d' la terre, des roches, d' la bouse de vache!

— Le cimetière est plein d'or, rugit Gros-Douillette, sans cesser de ronfler.

Petit-Lecourt sursaute au rugissement, sa main s'ouvre et les bagues qu'il serrait, les bagues du Notaire, roulent sur le plancher de l'Auberge où elles brillent comme les étoiles dans le ciel du pays. L'Arrache-clou en écrase une sous sa grosse botte.

— On marche su' l'or c'est vrai en Évangile!

— Moé j' monte au cimetière.

— Attends-moé, ça fait des années que j' sus pas allé prier pour mon vieux père.

— J'ai ben envie de revoir ma vieille tante qui a jamais couché avec que'qu'un d'autre que sa sacoche!

L'Auberge du Bon Boire se vide. Il n'y reste que l'Aubergiste ébloui par les jeux électriques de son nouveau tiroir-caisse IBM, la Serveuse qui cherche les bouteilles vides dans le brouillard épais de la fumée; plus tard, ils trouveront Petit-Lecourt et Gros-Douillette endormis sous la table.

Le cimetière est situé sur la montagne et, derrière, c'est le ciel profond comme le temps passé ou comme l'avenir. Les hommes s'éparpillent dans le cimetière. Ils sont des ombres à peine visibles. Leurs pelles luisent.

— Baptême, s'écrie un villageois, j' sus plus soûl que vous pensez! J' vois l'église peinturée en rouge.

La peur s'appesantit sur lui. Ses pieds s'enfoncent dans la terre du cimetière où rampent des morts et des damnés; il sent sur ses jambes les glissements humides de leurs corps putréfiés. Il hurle:

— L' diable m'emporte! Au secours!

Les yeux s'arrachent des replis de l'herbe noire qui sans doute recouvre des trésors, les têtes penchées se lèvent vers le ciel aussi sombre que la terre est noire, les pelles s'arrêtent dans leur élan fiévreux.

— L'enfer est dans l'église!

Depuis toujours, pour toujours, l'église est à côté du cimetière. Elle est noire dans la nuit. Mais les fenêtres sont rouges. Ou jaunes. Elles sont rouges. Elles éclatent. De chacune s'échappe un diable enragé en flammes plus hautes que l'église, qui grimpe aux murs, qui danse sur le toit. Cela gronde. L'église entiere est un gros diable de feu. Les chercheurs d'or plaquent leurs pelles et fuient le cimetière comme s'ils avaient le diable à leurs trousses, comme s'ils avaient le feu au dos.

— L' bon Dieu a pas pensé à toute: au lieu de nos p'tits zizis, i' aurait dû nous installer des tuyaux d'arrosage!

Petit-Lecourt a été élu pompier en chef il y a dix ans. Sa tâche est de conduire le camion-citerne et de garder la clef du camion.

— Petit-Lecourt!

Il n'est pas au cimetière, il n'est pas chez lui. Il est donc à l'Auberge! Il dort. Il est ivre. Il va dormir pendant deux jours. Il a tant bu qu'il sera encore ivre pendant trois jours. À coups de bottes dans les côtes, on essaie de le réveiller. La Serveuse jette un seau d'eau sur lui. Il dort. Comme avant la création du monde. Comment pourrait-il entendre les cris de cette bouche collée contre son oreille qui répète que l'église est en feu et qu'il doit se lever parce qu'il est le pompier en chef? Comment pourrait-il se rappeler que, dans sa frousse, il n'a pas pensé à éteindre le briquet du Notaire qui a allumé les copeaux sur le sol. La Serveuse cherche la clef dans les poches de sa chemise. Sans rires ni quolibets, elle farfouille aussi dans les poches de son pantalon.

— Vite! couine une bonne femme.

— S'il l'a pas la clef, j' peux pas vous la pondre, Madame!

Un chercheur d'or voudrait rassurer tout le monde:

— Moé, j' vous dit qu'on a trop bu, on est trop soûls et que l'église est pas en feu; on voit l' feu parce qu'on est soûls mais si on n'était pas soûls, on verrait pas l' feu!

La Serveuse ne trouve pas de clef.

— Ça sent le brûlé!

— Y a de la boucane qui entre!

— D' la boucane d'église à l'Auberge, c'est pas permis!

— Petit-Lecourt a pas la clef.

— Je r'tourne chez la femme de Petit-Lecourt.

Madame Petit-Lecourt ouvre la porte, les yeux enracinés dans le sommeil et retenant à deux mains l'encolure de sa chemise de nuit.

— La clef du camion des pompiers!

— Oui, elle est icitte.

L'Arrache-clou tend la main. Elle détourne la tête:

— J' la prête pas à n'importe qui.

— C'est l'église qui brûle!

— Pauvre Monsieur le Curé!

— C'est pas le Curé qui brûle, Madame, c'est l'église!

— I' faudrait demander la clef à mon mari, c'est lui qui a été élu le pompier en chef.

— Vot' mari sera pas dessoûlé avant la fin du mois; le feu l'attendra pas aussi longtemps.

— Qui c'est qui a allumé le feu?

— C'est que'qu'un qui sait pas la différence entre un lampion et une église. Vite, donnez la clef avant qu'i' reste seulement de la boucane.

— L'église est bâtie en pierres. D' la pierre, ça brûle pas. J' crés pas que l'église est en feu, j' le crés pas.

Madame Petit-Lecourt fait de la lumière. Elle est belle, Madame Petit-Lecourt, avec ses cheveux dénoués dans le dos. Ses fesses font de grosses mottes sous la chemise de nuit. S'il n'était ivre, l'Arrache-clou n'oserait jamais poser là la main. Mais il est ivre... Madame Petit-Lecourt ne proteste pas. Des ondes heureuses transpercent de toutes parts la main de l'Arrache-clou:

— Y a pas d'or qui vaut ça!

— Pour la sécurité, mon mari met la clef dans le coffre-fort.

L'Arrache-clou étend les doigts sur l'autre fesse.

— Le coffre-fort est derrière la porte.

Madame Petit-Lecourt enlève les mains de son

encolure. Sous la minceur du tissu, un trésor de poitrine scintille. Entre les seins, une petite croix d'or.

— Vous l' savez peut-ête pas, mais j' sus un chercheur d'or!

L'autre main de l'Arrache-clou effleure la chemise de nuit, se pose sur la courbe de la poitrine.

— I' est icitte, le coffre-fort.

Les yeux en feu, l'Arrache-clou enserre Madame Petit-Lecourt dans ses bras, ses mains retroussant la chemise de nuit; ils tombent sur la moquette.

— C'est-i' vrai que l'église est en feu? soupire Madame Petit-Lecourt.

Le bonheur de l'Arrache-clou se gonfle comme le plus furieux incendie. Mais la clef l'obsède:

— La combinaison du coffre-fort, c'est quoi? murmure-t-il.

À bout de souffle, il s'empresse, le bonheur suprême s'enfuit devant, il faut l'attraper. Madame Petit-Lecourt s'élance aussi à la poursuite du bonheur et sa respiration exaspérée lui rend les mots difficiles:

— La combinaison du coffre-fort, mon mari a jamais voulu me la donner.

Elle s'agrippe à l'Arrache-clou et le presse contre elle, comme si, dans cet effort, elle voulait retenir le temps.

— Mon mari a toujours peur de se faire voler que'que chose.

Le feu déchiquette le toit de l'église. Des tisons dans le ciel font croire à des oiseaux d'enfer. L'on réussit enfin à réveiller Petit-Lecourt; il ne se rappelle pas qu'il a un coffre-fort:

— J' sus un pauvre, moé! J'ai pas de coffre-fort. Pensez-vous que j'ai trouvé un trésor?

Il est si ivre qu'il affirme avoir rencontré le Notaire Caillouette: imaginez, le Notaire mort depuis des années!

L'enfer gronde dans l'église. Les villageois réunis autour ne s'approchent pas de crainte d'y tomber. Les chercheurs d'or, la pelle sur le dos, sont impuissants.

Des villageoises accourent, en chemises de nuit sous des chandails de laine, en pantoufles sous des manteaux jetés par-dessus les pyjamas.

En pleine nuit, Démeryse entend des pas frotter sur le parquet, elle entend chuchoter, claquer des portes.
— Y a-t-i' que'qu'un de mort? a demandé la vieille femme. J'ai pourtant pas entendu les cloches.
— C'est l'église qui est en feu!
Démeryse ordonne que l'on pousse son lit sous la fenêtre. Alors elle voit le ciel rouge et à travers les doigts arthritiques des peupliers, elle aperçoit une boule de feu sur la montagne à la place de l'église. L'église construite des propres mains de son père. Sa dernière heure venue, le pauvre homme a dit à sa descendance réunie autour de lui: « J' vous lègue en héritage ma pauvreté pis mon église. » Puis son père est mort. Et elle mourra. Parce que tout meurt.
— L' bon Dieu réussit même pas à protéger sa propre maison.
L'église de son père meurt par le feu. Sa fenêtre est teintée par cette grande tache rouge qui danse. Depuis l'après-midi du Vendredi saint d'il y a sept ans, Démeryse ne s'est pas levée. Ce jour-là, elle a été écrasée par son âge. Il a roulé sur elle comme un coup de tonnerre. Elle ne s'est plus levée. Elle a eu les jambes broyées. À la seule pensée de se lever, son coeur la « laisse », comme elle dit. Dans la maison, elle est abandonnée par les jeunes, elle est seule, allongée dans le cercueil de son vieil âge, en face d'un feu qui dévore l'église bâtie par son père, où elle a épousé ses trois maris, où elle a enterré ses trois maris, où elle a tenu sur les fonds baptismaux ses vingt-cinq enfants, où elle est allée en conduire neuf au cimetière, des bébés et des vieillards, qui étaient aussi ses enfants. Quand ce sera son tour de mourir, il n'y aura plus d'église, ses obsèques auront lieu en plein champ, comme les païens.

L'église brûle. Et ces fainéants de jeunes vont ramasser la cendre pour l'épandre dans les champs sur les labours et les semis car ils n'auront pas le temps de reconstruire avant sa mort. Elle mourra avant que l'arbre de la première pièce de la charpente ne soit abattu. Parce qu'on vit dans un siècle de fatigue. Personne ne fait plus rien et tout le monde est fatigué. À l'époque de son père, on construisait... À l'époque de Démeryse, c'était le temps de peupler: les enfants, les vaches, les moutons... Accoucher le matin, le midi servir aux vingt bouches affamées autour de la table la viande qu'elle avait elle-même fait rôtir, tenant d'un bras le nouveau-né et de l'autre coupant en morceaux la viande des plus petits. Ce n'était pas l'époque de la fatigue... De l'argent, il n'y en avait pas plus que d'or. Tout ce qu'ils avaient leur venait de Dieu: les enfants, les pluies, les récoltes. Et le soir, le mari se garrochait sur elle avec les manières d'un homme qui aurait passé l'hiver dans la forêt sans voir une femme ailleurs que dans ses rêves d'homme. Puis l'église. Elle était pleine de prières amassées de jour en jour, de dimanche en dimanche, d'année en année, de mères en filles, des prières accumulées comme le foin dans la tasserie...

Tout cela est en feu!

Démeryse ne s'est pas aperçu, bougonnant de sa grosse voix de bonhomme mécontent, qu'elle était descendue de son lit, qu'elle avait enfilé ses bottes rangées à leur place dans le placard depuis sept ans, qu'elle s'était enroulée dans un manteau qui avait été pendu à son crochet depuis sept ans, son manteau des dimanches. Tête nue dans la brume de novembre, elle a marché jusqu'à l'église attaquée de toutes parts par les cent diables du feu. Le curé, à gestes désespérés, lance des gouttes d'eau bénite vers les flammes. Il pleure:

— On va tout perdre. Le feu va profaner même les Saintes Espèces...

— Si le feu prend toute, songe Démeryse, faudrait pas qu'i' prenne le calice ni le ciboire, ni le tabernacle.

C'est des saintes richesses. On les laissera pas au feu. Quand mon père a construit l'église, i' voulait mettre ces saintes richesses à l'abri de toute.

Elle écoute. Des voix et des paroles de jeunes. Elle regarde. Ce sont des corps de jeunes, mal poussés. Des jeunes de l'époque de la fatigue. Des petites queues molles qui n'ont même plus envie d'engrosser une femme.

— I' sont jeunes, avec une jeunesse à vivre. Tandis que moé, j' sus déjà presque morte: j'ai pas de jeunesse à perdre. Pis la vieillesse, i' vaut mieux s'en débarrasser au plus vite!

Elle marche vers le feu, elle marche vers l'église, elle ouvre la grande porte qu'elle ouvrait quand, dans les années de sa jeunesse, elle pouvait aller à la messe. Elle entre dans le feu. Le Curé se jette à genoux:

— Ou bien j'ai vu une apparition ou bien j'ai vu Démeryse marcher!

Des mains compatissantes le relèvent; tant de chagrin lui embrouille l'esprit et les sens. Démeryse n'a pas mis les pieds dehors depuis des années. Démeryse est comme une morte, on ne parle d'elle qu'au passé. Elle est une morte qui grogne toujours dans son lit. Pauvre Monsieur le Curé! Le feu dans son église le rend plus ivre que ceux qui viennent de l'Auberge. Il a vu marcher Démeryse! Les paralytiques marchent, les culs-de-jatte courent, les bossus se redressent, les pieds bots se désentortillent, l'aveugle voit!

Démeryse se souvient du temps où elle allait à l'église. C'était le seul endroit où personne ne l'écoutait. Ailleurs, quand elle lançait quelques mots, on courbait la tête, on allait où elle disait, on pensait ce qu'elle voulait. « Nous les femmes, on souffre assez sur la terre pour connaître la vérité et pour avoir raison! » Quand elle parlait à l'église, Dieu n'inclinait pas la tête. Elle se sentait toute petite, Démeryse, devant Dieu qui lui résistait et qui ne lui répondait jamais. Dans ce silence, elle percevait la respiration de Dieu. Elle aurait voulu pouvoir poser sa tête fatiguée sur sa poitrine.

— Vous avez trop de peine, Monsieur le Curé, vous voyez n'importe quoi.

Démeryse avance dans la caverne de feu creusée dans la nuit. Le crissement des flammes, le vent qui souffle, les brandons qui tombent en sifflant: elle n'entend pas. Elle enjambe la Sainte Table. La voici dans le choeur. Une femme n'a pas le droit d'y entrer.

— Ces couillons d'hommes ont interdit aux femmes d'aller dans le choeur de l'église. On est obligées, nous les femmes, de pondre ces couillons d'hommes et on est obligées ensuite de suivre leurs lois! C'est-i' que le bon Dieu aimerait mieux être soigné aux petits oignons par des hommes que par des femmes? J' croirai jamais que le bon Dieu a ce vice-là... Non, les curés craignent que si les femmes approchent l'autel de trop près, elles vont s'apercevoir que les curés c'est des couillons comme tous les autres hommes. Les hommes: toujours assez de force pour monter sur les femmes, enfiler leur petite chose, mais pour le reste, ils ont toujours peur de faire mal à leurs petites boules. Quand y a le feu, hommes et Curé, i' ont peur que le feu prenne à leurs petites boules, ces couillons.

Démeryse monte à l'autel.

S'il y a quelque chose à faire, on appelle les femmes. Le feu menace les Saintes Espèces, c'est Démeryse qu' doit les sauver. Dans sa chaire, le Curé nommait Démeryse parce qu'elle se mariait trop souvent, parce que ses maris mouraient trop souvent, parce qu'elle sentait la bière quand elle ouvrait la bouche pour communier ou bien parce qu'elle était trop vieille pour danser avec de jeunes garçons qui s'amusaient à faire tournoyer dans la musique tant d'années enveloppées de grosse chair chaude et parfumée. Les jeunesses! C'est elle qui les faisait tourner! Et toujours plus vite que les violons! Les couillons de musiciens s'endormaient sur leur musique en pensant à leurs bonnes femmes. C'était bon, ces petites jeunesses musclées écrasées sur elle, qu'elle aplatissait sur son ventre et sa poitrine avec leurs idées vicieuses qui virevoltaient autour de leur tête. Le Curé en chaire criait le nom de Démeryse. Il la pointait du doigt en jurant qu'elle était dans le village le diable en personne. Les gens tournaient la tête vers elle et leurs yeux, dans leurs faces hypocrites, approuvaient le Curé. Même les jeunesses! Alors Démeryse se levait, elle tournait le dos à la chaire et elle sortait, lentement, avec fierté; mais longtemps encore son parfum demeurait. Tout le monde ne pouvait pas se payer un parfum de l'Europe. Démeryse était persuadée que son corps de vieille femme dégageait des effluves peu attirants, qu'il prenait une odeur de vieille viande; elle s'employait à voiler l'odeur du vieil âge, à recouvrir son vieux corps d'un dernier souffle de jeunesse. Elle se versait du « Petit Paris Fleury » dans les cheveux et s'en frottait les bras et les jambes et elle en humectait son mouchoir. Le « Petit Paris Fleury » de Démeryse était célèbre jusque dans les villages des autres montagnes. Un jeune homme entrait boire une bière dans une auberge et l'on savait à l'odeur du « Petit Paris Fleury » imprégnant son costume, qu'il avait dansé avec Démeryse.

— J'aime mieux sentir le « Petit Paris Fleury » que la « Veuve avariée »!

C'était sa dernière jeunesse. Dans la chaire, le Curé pointait son doigt vers elle:

— Elle trempe dans la bière. Elle se peinture le visage comme les jeunes filles de quinze ans. Elle s'imbibe de parfum, et je vous ferai remarquer que les filles qui vendent leurs corps dans les maisons sordides de la rue Saint-Paul à Québec achètent le même parfum — Dieu me l'a dit! À quelle sorte de mort se prépare-t-elle? Et moi, pauvre instrument de Dieu sur la terre, je devrai l'absoudre de tous ses péchés de vieillesse qui sont plus coupables encore que ses péchés de jeunesse...

Elle sortait la tête haute et les yeux mouillés.

— Vous, bon Dieu, vous vous taisiez pendant que

votre petit couillon d'instrument s'égosillait contre moé.
Vous disiez pas un mot. Mais vous m'avez jamais, vous,
montrée du doigt. Vous m'avez jamais dit que mon
« Petit Paris Fleury » vous faisait mal aux narines. Vous
m'avez jamais reproché de danser avec les jeunesses.
Mon Dieu, c'est-i' une punition que de devenir vieille?
C'est-i' une punition que d'aimer la jeunesse? Mon Dieu,
vous m'avez jamais accusée de me marier trop souvent.
Vous disiez pas un mot, mais vous laissiez le sang couler
en moé fort comme un fleuve qui charroyait les hommes,
les jeunesses, les enfants, sans desserrer les dents dans
votre barbe blanche; sans rien me reprocher ou me demander, vous me donniez assez de vie pour ressusciter
tout un cimetière. Merci mon Dieu. Pour vous remercier,
mon Dieu, j' veux sauver vos saintes richesses. J' veux
pas que votre or brûle dans le feu avec votre pain bénit.
J' vous demanderais seulement de me prêter la clef de
votre tabernacle parce que c'est votre Curé qui l'a dans
ses poches et pendant que votre bateau coule, mon Dieu,
votre Curé s'est sauvé à terre. Pardonnez-lui, mon Dieu,
c'est un couillon d'homme!

Démeryse a un plafond de flammes au-dessus de sa
tête. Les poutres se tordent comme des bêtes souffrantes.
La nappe de l'autel est rongée par les tisons. Les flammes
tombent du toit mais avant de toucher le plancher, elles
sautent par les fenêtres. Devant le tabernacle, des tisons
ont la ferveur des lampions. Dans le désespoir de la terre, Démeryse aperçoit la petite porte du tabernacle. Avec
la clef. Dieu a enlevé la clef au Curé et l'a introduite dans
la serrure du tabernacle, la maison de ses trésors. Sous
la soie douce, voici le ciboire. Elle soulève le couvercle,
il est rempli d'hosties. L'or ruisselle à cause des flammes. C'est une flamme en or que Démeryse tient dans
ses mains. Une femme n'a pas le droit de toucher à ces
divines richesses. Ces couillons d'hommes laissaient
brûler les vases sacrés. L'or brille comme le feu, mais
il ne brûle pas. Elle porte le pain de Dieu. Elle n'a pas le
droit de toucher à ce pain bénit.

— J' vous demande pardon, mon Dieu, de sauver votre pain et votre or. J' sais que mes mains sont pas dignes de toucher à des richesses aussi saintes. Si vous êtes pas content, mon Dieu, envoyez votre Curé les tenir. Mais avant de l'appeler, votre Curé, pensez ben que c'est un homme et qu'un homme est un couillon qui a peur de son ombre s'y a pas une créature à côté de lui. C'est vous qui les avez faits de cette manière-là. Et moé, j' les ai tellement aimés tels que vous les avez faits! Mon Dieu, donnez donc une créature à votre Curé; i' deviendrait un peu moins couillon...

Elle trouve un autre ciboire dans le tabernacle, deux calices, une lunule. C'est beaucoup d'or à transporter: elle n'a pas assez de mains. Et puis, il y a l'ostensoir. Elle ne l'a pas vu. Ses vieux yeux fatigués d'avoir tant regardé ont sans doute confondu l'ostensoir avec le feu. Elle ne peut apporter tout cet or:

— Donnez-moé une idée, mon Dieu. À mon âge, on a l'imagination usée comme une vieille pierre à briquet.

Dieu l'inspire. Elle retire son manteau; malgré le feu, il fait très froid.

— Mon Dieu, j' vas suivre votre idée seulement si vous me protégez de la grippe. C'est novembre dans nos parages et on n'habite pas la Floride. I' fait froid. Faut pas sortir sans manteau. J' voudrais pas mourir à cause d'une petite grippe...

Une chaleur se pose sur ses épaules. Une caresse. Un souffle du printemps. Dieu est avec elle. Elle étale son manteau sur le palier de l'autel, elle y dépose les trésors sacrés comme au fond d'un sac. Le précieux fardeau sur l'épaule, elle descend de l'autel, elle traverse la nef la tête haute. Ainsi elle sortait pendant que le Curé en chaire pointait vers elle un doigt accusateur — dans ce temps-là, il n'y avait pas de poutres en feu sur le plancher — et elle pousse la grosse porte. Personne ne voit se profiler, dans la nuit et la fumée, son ombre courbée sous le sac aux trésors.

— J'ai plus les jambes de ma jeunesse... Mais si j'avais encore les jambes solides comme des ponts, j'serais écrasée là, avec les couillons qui prient le bon Dieu d'aller sauver lui-même ses trésors tout seul. À genoux sous l'impuissance, vaincus, les villagecis se taisent. Que signifie ce message de feu que Dieu leur envoie? Tête basse, ils s'accusent de leurs fautes. Dieu, de l'autre côté de la nuit, souffle pour activer la flamme qui dévore son temple. Dans un cri, le toit de l'église se gonfle comme une voile qui va filer flamboyante dans la nuit, et il s'effondre. Les flammes restent un instant accrochées à la nuit et elles s'abattent, avec une faim rouge, sur les débris.

— On a perdu Démeryse. Je l'ai vue entrer et je ne l'ai pas vue sortir. Aussi vrai que le bon Dieu nous regarde...

— Voyons, Monsieur le Curé, gardez vos larmes pour les vrais défunts.

— Si Démeryse était venue icitte, elle serait venue avec son litte. Elle a le matelas collé après elle.

— Démeryse est clouée dans son lit comme Jésus sur la Croix.

— Mais Jésus n'avait pas péché! précise le Curé.

Tout à coup il pleure et ses larmes ont l'air d'être noires:

— Réjouissons-nous, soupire-t-il, car Dieu nous punit parce qu'il nous aime. Dieu éprouve ceux qu'il aime. Considérons cette épreuve comme plus précieuse que tout l'or du monde.

Démeryse est si épuisée qu'elle a peine à marcher. C'est à genoux qu'elle se rend de la cuisine à sa chambre, tirant derrière elle les trésors bénits qu'elle a sauvés du feu et qui tintinnabulent dans son manteau. Elle pousse le précieux sac sous son lit. Puis elle cale soigneusement ses mains sur le plancher, sur le tapis tressé, elle raidit les bras, elle se cambre et réussit à hisser sa tête dans son lit. Elle allonge un bras lourd à bouger comme si la mort déjà le retenait, elle agrippe le matelas et en rampant elle retourne au lit. C'est chaud. C'est doux. C'est mou. Elle aimait tant que sa mère la berce. Elle tourne les yeux vers la fenêtre. Noire. Fermée par le rideau opaque de la nuit.

— I' me semble que la fenêtre était rouge... J'ai encore rêvé. Dans ce couillon de lit, j' peux pas aller plus loin que mon rêve.

Pourquoi lui est-il si pénible de respirer? L'air déchire la gorge et les poumons. Elle est essoufflée comme si elle avait couru. Couru? Marché? Un rire rude roule dans le silence. Courir! Marcher! Elle est paralysée. C'est ce qu'ils disent tous. Démeryse sait qu'elle n'est pas paralysée. Elle n'est qu'usée. Ses jambes sont usées, ses poumons sont usés. Comme de vieux outils qui ont beaucoup servi. Trop servi? On ne vit pas trop. Elle rit encore. Elle a rêvé. Qu'il est beau, au bout de son âge, de ne pas souffrir. On peut rêver. Elle a rêvé. C'est comme si elle avait vécu. Elle a rêvé que l'église était en flammes. L'église que son père avait bâtie de ses mains. Elle a rêvé que les hommes du village, ces beaux couillons, avaient peur du feu comme du diable. Surtout le Curé. Elle a rêvé qu'elle est allée, dans l'église en feu, chercher le Pain bénit et l'Or sacré... Rêvé... Rêver, c'est vivre...

— I' est tard, i' a jamais été aussi tard dans ma vie! soupire Gros-Douillette, s'écroulant dans son lit, incapable de retirer ses bottes auxquelles est collée de la boue, de la terre du cimetière, incapable d'arracher sa chemise à carreaux collée à sa peau; Gros-Douillette a sombré dans le sommeil et rien ne pourrait lui donner la force de s'opposer à ce courant majestueux comme le temps qui l'entraîne vers l'éternité où il n'existera plus que dans sa grosse respiration. Inspirer. Expirer. Des caresses à son âme.

— D'où est-ce que tu viens, coureur de chemins?
Madame Gros-Douillette l'empoigne là où vous

devinerez bientôt; ivre, endormi et épuisé, il doit obéir. La main de Madame Gros-Douillette tire si fort qu'il se sent déchiré de la tête aux pieds. Inutile de geindre, de pleurer, de résister. Il a été toué entre les jambes de sa femme:

— Appelle-moé ta petite femme en or, si t'es capable...

— I' est tard.

— I' est jamais trop tard.

La main de Madame Gros-Douillette a tant de poigne qu'elle seule peut arracher son homme au courant du sommeil. Il bafouille, sur le ton des dernières paroles d'une agonie:

— Pas aujourd'hui!

— Oui, aujourd'hui. Pis tout de suite! Toujours fanfaron prêt à semer aux grands vents! Mais rien pour ta petite femme!

Les bras de graisse molle étreignent Gros-Douillette et le corps de sa femme sous lui implore et s'offre dans une houle désespérée. La généreuse chaleur de sa femme le repousse dans le courant du sommeil.

— Viens! ordonne de l'autre rive, de l'autre côté du sommeil, la voix de sa femme.

La main énergique rampe entre les deux corps:

— T'es soûl jusque dans ce petit boutte-là! Viens!

La tête de Gros-Douillette roule de la poitrine joufflue sur l'épaule et vient verser dans l'oreille de sa femme un généreux ronflement. Une gifle claque si fort que Gros-Douillette l'entend et se réveille:

— T'es là? s'étonne-t-il.

— Toé, iousque t'es?

— J' sus avec Petit-Lecourt, dans le cimetière.

L'éclair d'une autre gifle.

Gros-Douillette est rendormi; la main de sa femme se fait plus tyrannique:

— Si i' faut te sortir les tripes du ventre, j' vas le faire!

Et elle tire, tire, tire comme on tire sur le câble d'une barque récalcitrante. Une fois de plus, Gros-

Douillette doit se soumettre à l'examen que sa femme lui fait subir chaque fois qu'il quitte la maison. Elle se méfie de ce paresseux qui a peur du travail comme d'autres ont peur du diable, de cet ivrogne qui a le coeur en terre sèche, de ce menteur qui raconte toujours ce qu'il n'a jamais fait... A-t-il déjà eu une autre idée en tête que les femelles? N'importe qui avec des fesses et des tétons et ce petit jardin où les hommes ont plus de plaisir à bêcher qu'entre les plants de tomates. Comment savoir si ce buveur, ce menteur, ce vicieux est allé dispenser son affection à quelque femme? Plusieurs années auparavant, elle a eu une illumination, après avoir demandé l'aide du Saint-Esprit. Depuis, chaque fois que son homme s'absente de la maison, il doit à son retour se soumettre à un examen de fidélité. Quand il échoue, Gros-Douillette s'excuse d'être fatigué, surmené, préoccupé: un homme n'est pas toujours prêt; l'amour a droit à des vacances... En ce coin de son âme où naissent les certitudes, Madame Gros-Douillette sait, elle, que son homme l'a trompée avec une de ces femmes auxquelles il n'arrête jamais de penser.

— Petit-Lecourt, c'est ton image dans le miroir: paresseux, ivrogne, penseur-aux-femmes...

Gros-Douillette a été entraîné très loin dans un heureux sommeil.

— Amène-toé ou j' t'assomme!

L'ordre de sa femme lui parvient comme la supplication très douce d'une femme inconnue. Il est très loin, très haut dans son sommeil, un oiseau qui se repose toutes ailes ouvertes dans le ciel. Pour être entendu, il crie:

— J' peux pas tout de suite; attendez un peu! On est fatigués parce qu'on a mis le feu à l'église.

Il a crié mais il dort encore, souriant. Soudainement, il a froid. Il est secoué de frissons. Il est glacé. Son sommeil est humide comme le sous-sol de l'église. Il dort mais il voit sur le mur une ombre longue et fine: celle qu'ils ont vue dans le sous-sol de l'église. Gros-

Douillette cherche la couverture pour s'y cacher la tête. Il fait froid, il fait noir au sous-sol de l'église et qui est-ce qui crie en claquant des dents?

— Criez pas si fort, Notaire, grogne Gros-Douillette, y en a qui dorment.

— Brûleur d'église! Athée! Communiste! Anti-Christ! Incendiaire! éructe Madame; elle transporte des casseroles d'eau froide pour arroser son gros ronflant; elle verse sur lui plus d'eau que n'en ont jetée les villageois sur le feu de l'église. Elle a enlevé les couvertures et les a rejetées sur le plancher où elles trempent dans l'eau, elle a ouvert la chemise pour verser l'eau sur la peau de l'endormi, elle a arraché le pantalon. Elle l'inonde. Elle ne crierait pas plus si le feu était pris dans sa maison. Gros-Douillette dans son rêve aperçoit un bateau qui glisse doucement sur une eau tendre vers une île où sont plantés les palmiers de l'Auberge du Bon Boire; la Serveuse de l'Auberge se promène, le plateau au bout du bras, offrant sa belle poitrine au soleil et à l'ombre des palmiers. L'eau froide de Gros-Douillette a l'effet que n'avait pas obtenu la main de sa femme.

— C'est le boutte du boutte! constate-t-elle.

Va-t-elle fuir à la vue du timide petit animal qui se cabre? Elle hésite. Elle cesse de crier. Elle se tait.

— S'ils ont mis le feu à l'église, c'est la prison... Une femme a droit à son homme une dernière fois avant qu'i' parte pour la prison!

Abandonnant eau, casseroles et chemise de nuit, elle s'abat sur son homme froid comme glace mais qui recommence doucement à ronfler car la chaleur du corps de sa femme est une brise sur l'île aux palmiers où les filles ont les seins aussi beaux que ceux de la Serveuse de l'Auberge. Apercevant Gros-Douillette, l'une des filles s'élance vers lui. Il se laisse conquérir sans résistance, sous un palmier dont l'ombre a la douceur de l'eau fraîche. Trop de bonheur rend inutiles les paroles. Et toutes les pensées. Rien ne saurait l'intéresser que la musique duveteuse de la Belle qui respire dans son

44

oreille. Parmi les soupirs, la merveilleuse bouche susurre:
— Qu'est-cé que tu cherchais dans l'église?

Il a entendu:
— Qu'est-cé que tu cherchais dans mon île?

La poitrine de la belle caresse la sienne avec la nonchalance de vagues qui clapotent. Il ne veut pas avoir de secret pour elle:
— Petit-Lecourt pis moé, on cherchait de l'OR.

Gros-Douillette a crié ces derniers mots parce qu'au moment où la belle se changeait en feu dans ses bras, une marée irrésistible s'est levée en lui, a gonflé chacune de ses artères, chacun de ses muscles de cette force qu'ont les arbres au printemps, cette force qui, malgré la folie et le désespoir, fait qu'il y a encore des hommes sur la terre. En criant: « De l'OR », ses ongles se sont enfoncés dans la chair de la belle qui a hurlé:
— Voleur d'or! Violeur de filles! Brûleur d'église!

Madame Gros-Douillette saisit son oreille, cette oreille où murmurait la Belle et ses doigts deviennent des pinces de homard. Gros-Douillette s'acharne à vouloir ouvrir un oeil. Malheur! Sa femme l'aurait-elle surpris avec la Belle exotique? Par les deux oreilles elle le tire hors du lit, par les deux oreilles elle le tient debout, par les deux oreilles elle l'oblige à se rhabiller et c'est par les deux oreilles que Gros-Douillette est traîné au Presbytère.
— Tu vas aller à la confesse, criminel! Tu vas laver ta conscience!

Madame Gros-Douillette sonne et sonne à la porte. Le Curé aussi s'est couché très tard. Après ce si grand malheur d'avoir perdu son église, il a mérité de dormir. Si son sommeil est profond, ce n'est pas pour les mêmes raisons que son mari ivrogne, paresseux, trousseur de filles, voleur d'or et brûleur d'église. Le Curé a de trop grandes responsabilités: la charge des âmes d'une paroisse est trop lourde pour ses frêles épaules d'homme à qui de longues études ont donné beaucoup de diplômes et peu de santé. Madame Gros-Douillette sonne encore. Elle frappe et frappe de son poing féminin. Elle a appuyé son homme contre une colonne du balcon. Elle sonne et attend. La cendre est rouge à la place de l'église. Dans la nuit, les poutres écroulées et calcinées ont l'air triste des pénitents agenouillés sous l'oeil de Dieu. Impatiente, Madame Gros-Douillette frappe un peu plus fort dans la porte. Le mur tremble, le presbytère est secoué jusqu'au toit: quelques feuilles sèches glissent sur les tuiles d'asphalte et tombent dans le vent à l'odeur de cendre. Elle insiste mais la nuit, à l'intérieur, reste noire et muette comme si tout y avait été brûlé. C'est urgent; son mari doit se confesser. Elle tourne avec piété la poignée de la maison du Curé. La porte n'est pas fermée à clef. Elle la pousse, cherche un commutateur, fait de la lumière, revient chercher par les oreilles son bandit public de mari et par les deux oreilles elle le tire à l'intérieur comme on tire par les cornes une dépouille de boeuf à l'abattoir du village.

Voici la salle d'attente. L'ancien Curé possédait de grosses chaises brunes qui ressemblaient à de vieilles religieuses en prière. Depuis, il y a eu des grandes réunions à Rome et l'Église a été révolutionnée. Pour rajeunir l'Église, le nouveau Curé a vendu ses vieilles chaises à des Américaines qui cherchaient des vieilleries. Il les a remplacées par de belles chaises en plastique aux couleurs gaies. Qu'elles sont belles ces lampes en forme d'oeuf en or qui pendent au plafond et ces autres qui se tiennent sur des pattes fines comme des pattes de poules, mais plus hautes! Il y a des tas de revues françaises et anglaises. Cela ressemble à la salle d'attente du dentiste de Saint-Georges-de-Beauce. Se faire pardonner un péché, n'est-ce pas semblable à se faire extraire une dent qui fait souffrir? Dieu a promis qu'il viendrait prendre la vie de ses créatures comme le voleur, par surprise, s'empare de l'or; elle ne peut donc attendre la fin du sommeil du Curé. Elle sait que les chambres sont à l'étage. Elle allume. Un couloir s'éclaire en haut de l'escalier. Elle monte à reculons tirant les oreilles de son pécheur qui a les os mous dans les jambes.

— Monsieur le Curé!

D'abord elle chuchote. Puis elle parle, puis elle crie. Nulle réponse: comme si le Curé était absent. Plusieurs portes. Elles sont toutes fermées. Elle frappe à la première. Pas de réponse. Elle frappe à la seconde. Rien. Elle pousse la troisième. Le lit est vide. Elle appuie son homme contre le mur, s'assure qu'il reste en équilibre.

— Monsieur le Curé!

Elle pousse la quatrième porte. Il est là. Elle l'entend respirer:

— Monsieur le Curé!

Silence. Elle aperçoit, à cause de la lumière pâle du couloir, la forme de son corps.

— Monsieur le Curé!

La main sur le commutateur, Madame Gros-Douillette va-t-elle faire de la lumière? L'âme d'un brûleur d'église est en danger. Elle hésite. Elle s'attendrit: ce pauvre prêtre doit être au bout du chagrin.

— Monsieur le Curé!

Son doigt abaisse le commutateur. Dans l'éclatante lumière, le Curé se dresse, hagard, les épaules et le torse nus. Elle n'a jamais vu peau aussi blanche. À côté de lui, les seins d'une femme échevelée qui dort les bras en croix.

— C'est-i' vous, Monsieur le Curé?

L'abbé tire le drap sur sa poitrine pâle, mais il oublie de couvrir celle de la femme dans son lit. Toute cette lumière brûle les yeux.

— Confessez mon homme! Confessez mon homme!

Sa main farfouille sur la table de chevet parmi les boîtes de pilules et les fioles de médicaments. Il trouve son chapelet, essaie d'y lire l'heure, farfouille encore, trouve la montre:

— Il est bien tard... Il est bien tôt!

C'est encore la nuit. C'est déjà l'aube. Il revoit les

flammes qui se tordent dans la nuit autour de son église qu'elles étranglent.

— Madame, c'était l'enfer...

— Confessez mon homme, c'est le diable en personne... Confessez-lé, j' vous supplie...

— Je vais lui pardonner toutes ses fautes.

— Toutes?

— Toutes. Il faut tout pardonner. Car l'enfer n'est vraiment pas beau.

Renversant quelques fioles et bousculant quelques bouteilles et faisant rouler des sous, il trouve son étole qu'il porte à ses lèvres et passe à son cou. Au contact de la soie et de sa peau, il se rappelle qu'il n'est pas seul dans son lit. Les couvertures désespérément ramenées sur lui, il disparaît caché dans son lit.

— J'ai rien vu Monsieur le Curé parce que ça se peut pas que j'aie vu c' que j'ai vu!

Maternellement, elle va étendre la couverture de laine sur l'ange nu à la chevelure désordonnée.

Qui est cette femme qui ose dormir dans le presbytère, dans la chambre du Curé, dans le lit du Curé? Madame Gros-Douillette soulève les couvertures. D'un geste maternel, elle repousse un peu la chevelure: c'est l'institutrice, la spécialiste diplômée en catéchisme, Miss Catéchime. Elle rabat les couvertures.

— Monsieur le Curé. Que sert à l'homme d'avoir tout l'or de toutes les mines du monde, s'il est en état de péché mortel? J' vous supplie, confessez mon homme!

Le Curé trépide sous les couvertures. Madame Gros-Douillette caresse sa tête encapuchonnée qui gémit:

— C'est votre homme qui devrait me confesser!

Le Curé gardait les yeux fermés pour ne pas voir les lueurs rouges de l'incendie qui refusait de mourir. L'église, bien que détruite, continuait à grands souffles de flamber. Le feu se nourrissait de feu, les flammes dévoraient les flammes. Le grand vent s'efforçait de garder vivante cette lumière jusqu'à l'arrivée prochaine de l'aube. Les flammes s'acharnaient sur les derniers débris. L'incendie ruminait dans son estomac les dernières mâchées du désastre. Comment aurait-il pu dormir? Ses yeux égratignés par les visions rouges pleuraient. Il attendait le jour dans l'espoir d'un signe du ciel, capitaine à la proue de son bateau perdu dans la mer du feu. Son presbytère était enveloppé dans une mousse blanchâtre. Il allait d'une fenêtre à l'autre. Chacune était submergée. Le vent rabattait la fumée de la cendre encore braiseuse et le brouillard qui s'élevait de la terre. Le jour derrière la nuit déjà s'avançait. L'on sonna à la porte. Le Curé ouvrit. Les yeux qu'il vit étaient si beaux que le feu et la fumée s'effacèrent.

— Entrez vite, mon enfant. Ah! ce froid!

Son manteau était mouillé aux épaules comme si elle avait marché sous la pluie. Et ses cheveux aussi.

— Pardonnez-moi de vous ennuyer à cette heure, mais le malheur cette nuit bouleverse toutes les lois de la convenance.

Elle releva la tête pour recevoir la réponse du Curé. Quel parfum. Dans les effluves du bois et des pierres calcinés, il pensa à des fleurs de pommiers. Avait-elle pleuré? Il y avait autour de ses yeux un cerne de chagrin. Ces grands yeux...

— La maison du pasteur est toujours ouverte aux brebis.

Ses yeux étaient verts sous les mèches déroulées. Le Curé n'avait jamais remarqué les yeux du professeur de catéchisme. Il sourit de l'humour des villageois qui l'avaient nommée Miss Catéchime. Il l'écoutait respirer. Le corps de Miss Catéchime n'était que ce souffle, sous le manteau. Le Curé marcha jusqu'à la fenêtre.

— Cette église détruite par le feu, Monsieur le Curé, faut-il y voir un signe de Dieu qui voudrait que toute son Église bâtie sur Pierre s'écroule et disparaisse? Monsieur le Curé, vous savez, l'Église est une barque obéissant à tous les vents. Il n'y a plus de fidèles, il n'y a plus de prêtres, il n'y a plus de péché. Monsieur le Curé, que reste-t-il de la vraie Église du Christ? Il reste de la cendre, de la cendre qui sent le passé.

Le Curé s'arracha à la contemplation des débris étincelants et revint vers Miss Catéchime qui avait la tête levée vers lui, avec ses grands yeux ouverts pour recevoir la lumière qu'elle lui demandait et ses lèvres qui cherchaient une eau désaltérante. Il s'approcha. Elle attendait. Il devait parler. Il ferma les yeux et croisa les mains. Il l'entendait respirer.

— La pierre de notre église s'est écroulée, le bois de notre église a été brûlé, mais nos prières n'ont pas été détruites.

Deux petites mains peureuses et brûlantes saisirent ses mains croisées:

— Rien n'arrive sur terre sans le consentement de Dieu?

— C'est ce que nous devons croire, mon enfant.

Le Curé aurait voulu croiser ses mains sur sa poitrine mais il était incapable de s'arracher à ces mains si petites et si fortes.

— Alors c'est Dieu qui a de toute éternité décidé de brûler l'église que lui avaient construite nos grands-pères...

Le Curé n'osa ouvrir les yeux car il savait au fond de son âme qu'il ne pouvait sans vertige voir le regard éblouissant d'angoisse. Son souffle recouvrait celui de la jeune fille. Les petites mains glissèrent. Le Curé tourna le dos, rouvrit les yeux et marcha vers la fenêtre. Une très haute flamme perça la fumée et retomba s'y noyer.

— Dieu a permis que son temple soit démoli, répondit-il enfin. Il veut que l'Église renaisse de ses cendres. Il veut que l'église de notre village renaisse des cendres du passé de nos grands-pères. Dieu veut une église moderne. Car Dieu a toujours été moderne. Et elle sera moderne éternellement.

La jeune fille se jeta à genoux, les bras en croix:

— Monsieur le Curé! Monsieur le Curé! Je serai vieille

et je me rappellerai encore avoir entendu ces paroles. Je serai assise au bord de ma tombe et vos paroles me consoleront encore. Elle sortit de la poche de son manteau un délicat mouchoir qu'elle offrit au Curé. Il le reçut. Elle le dénoua avec ses petits doigts appliqués. Relevant les coins un à un, religieusement, elle dévoila des bagues, des boucles d'oreilles, des chaînettes, des colliers:

— Je veux être la première à participer à la renaissance de l'Église catholique éternelle et moderne!

Les bijoux dans la main du Curé brillaient avec les éclats d'un très grand trésor trop lourd à porter pour un homme seul. Il chancela et sa tête roula dans les cheveux de Miss Catéchime qui changea en larmes tant de bonheur.

J. J. Bourdage dort et la nuit lui appartient.

Mais le premier rayon du jour s'abat sur sa Cadillac blanche comme un coup de masse dans le pare-brise. Il se dresse sur sa banquette. La portière est ouverte. Des policiers tout autour, arme au poing. Il est arraché de sa Cadillac par de grosses mains qui l'empoignent aux vêtements et le tiennent debout. Il a une arme enfoncée dans le cou. On lui enlève sa montre, on le dépouille de ses bagues, de la chaînette à son cou, on vide ses poches, on saisit son portefeuille, son étui à cigarettes, ses boutons de manchettes, son briquet en or, son bracelet. On le pousse dans une voiture de la police. Il n'a pas le droit de tourner la tête pour regarder sa Cadillac blanche. Il se tait. Comme un pauvre.

— Monsieur le Curé, vous êtes un prêtre et vous allez me confesser mon homme!

Les yeux tout hébétés, l'abbé acquiesce. Madame Gros-Douillette court arracher son mari du mur qui l'empêche de s'affaler et le transporte jusqu'au prêtre devant qui il tombe à genoux:

— J' pourrais-t'i' m'assir parce qu'icitte les maudits murs se courent après la queue. Ça m'étourdit.

Sur un signe du Curé, Madame Gros-Douillette assied son mari.

— Maintenant, mon fils, accusez-vous de vos fautes.

Sur un autre signe, elle sort et, avec une religieuse circonspection, elle referme la porte.

— Votre femme me dit, mon fils, que vous avez offensé Dieu.

— Mon père, j' m'accuse d'avoir fait le péché d'incendie après avoir fait le péché du trésor.

— Malgré la lumière que Dieu m'envoie, mon fils, je ne te comprends pas.

— Mon père, je m'accuse d'avoir mis le feu à votre église.

— Le feu, mon fils! Ai-je bien entendu?

D'étonnement, le Curé se dresse, joignant les mains dans un geste d'imploration vers le ciel sans remarquer qu'il est nu sous l'étole sacramentelle.

— Mon fils, est-il vrai que tu as mis le feu à l'église?

Gros-Douillette ouvre les yeux. Le Curé est devant lui. C'est drôle, il semble nu. Gros-Douillette se frotte les yeux. Il compte deux curés devant lui; un, deux; deux curés qui bougent; un, deux: un curé ressemble au Curé et l'autre Curé ne ressemble pas au Curé, mais à Miss Catéchime. Les deux curés ont l'air d'être nus, ce qui est drôle, ah! ah! très drôle. Ses yeux se referment. Et il pense rêver que les deux curés pleuraient de grosses larmes. Il devient triste de leur chagrin et il va pleurer avec eux. Une main froide et griffue l'empoigne au cou:

— C'est toi, maudit, qui a mis le feu à l'église?

Gros-Douillette ouvre un oeil. Des pieds s'abattent sur lui. Des coups dans le dos, dans le ventre, et des cris, des cris... Les deux curés, celui qui ressemble au Curé et celui qui ressemble à Miss Catéchime, dansent autour de lui et frappent et ruent et menacent et cravachent; les deux diables nus frappent si fort que Gros-Douillette regrette d'avoir accepté d'ouvrir la porte de l'enfer en ouvrant le cercueil du Notaire.

— Pourquoi as-tu brûlé l'église? Pourquoi as-tu, maudit, grillé le pain de Dieu? Pourquoi as-tu détruit le tabernacle d'or? Le calice d'or? Le ciboire d'or? L'ostensoir d'or?

— Châtiment! Pénitence! Fouet! Tourment!

— Pourquoi as-tu rôti le corps du Christ en croix?

Gros-Douillette, secoué, étourdi, prostré, desserre les lèvres:

— Bon Dieu, ayez pitié de votre mouton noir.

Ces mots ont glissé de sa bouche avec une grande douleur, la souffrance d'une grande déchirure semblable à celle de la naissance. Et le mal se dissout lentement comme un cri que l'on entend s'user d'écho en écho.

Gros-Douillette a cru voir les flammes de l'enfer autour de lui: tant de flammes! Il n'y en avait pas autant pour dévorer l'église. Maintenant, elles se sont apaisées, taries. Le seul feu est celui de la lampe électrique sous un abat-jour. Près de lui, le visage du Curé tout mouillé de pleurs:

— Mon fils, Dieu ne peut pas pardonner à votre âme endurcie qui refuse de pleurer.

— C'est pas moé qui a mis le feu à votre église, si vous voulez savoir, c'est le Notaire Caillouette qui était en maudit parce que Petit-Lecourt pis moé, on a volé son scotch pis son trésor dans sa tombe.

— Il faut, mon fils, arracher le péché de vous comme l'on gratte la chair pour nettoyer l'os. Dieu le veut.

Dieu est un coeur tendre. Dieu, c'est du bon pain. S'il est vrai que Dieu voit tout, comment pourrait-il être en colère contre Gros-Douillette et Petit-Lecourt? Il a vu la scène de ses yeux de bon Dieu qui voit tout, qui peuvent voir une poussière cachée sous un caillou au fond de la mer dans la nuit. Dieu a vu que Gros-Douillette et Petit-Lecourt n'ont allumé qu'une petite flamme, celle du briquet en or du Notaire, une flamme à peine grosse comme une étincelle. Dieu le leur pardonnera. Autrement Dieu n'aurait pas créé le feu! Le soleil, qu'est-ce que c'est? Du feu. Et Dieu a déposé presque toute sa force dans ce feu. Alors Il ne peut pas reprocher à Gros-Douillette ni à Petit-Lecourt d'avoir fait jaillir une flamme, une petite flammèche, une flammechette quand Lui, le bon Dieu, a bouté le feu à la nuit de l'univers entier!

— Ça fait que j' m'accuse seulement du péché du trésor...

— Dieu ne veut pas que je vous pardonne!

Un cri, un cri de femme transperce Gros-Douillette dans le dos. Une femme fonce dans la chambre. C'est sa femme, il la reconnaît.

— Monsieur le Curé, j' fais le serment solennel que j'écoutais pas mais j' devine que vous voulez pas pardonner à mon homme. Monsieur le Curé, si mon homme couche dans le feu de l'enfer, moé, sa femme, iousque j' couche?

Elle gémit comme si les griffes du diable déjà picotaient sa grosse chair tremblante.

Miss Catéchime s'est réfugiée dans le placard entre des soutanes qui sentent l'encens et le tabac. Comme il n'est pas convenable qu'une jeune fille nue soit dans la chambre du Curé, elle décroche une soutane sur un cintre et elle l'enfile, les mains palpitantes sur les petits boutons qu'elle insère avec piété dans les boutonnières alignées sur le saint vêtement.

— Pardonnez! supplie Madame Gros-Douillette.

Son mari s'aperçoit qu'il est sorti. La nuit est noire. Noire comme son âme d'incendiaire. Noire comme son âme. Noire comme ses mains dans la nuit du sous-sol de l'église. Désormais, parmi les villageois, sa peau sera plus noire que la peau d'un nègre. Sa peau sera si noire qu'il n'y aura plus de jour pour lui. Dans sa honte, la lumière sera noire. Autour de sa poitrine, la nuit a le poids de la terre qui s'accumule. Ah! Gros-Douillette n'ira plus jamais à l'Auberge du Bon Boire. Jamais plus il ne trempera sa pensée dans la bière. Sur la tête de sa mère, il jure de rester sec comme un été sans pluie. Il a trop bu. Les premières bouteilles libèrent des rires qui se tenaient cachés dans des trous comme des marmottes. S'il boit encore, surgissent, de plus profond que les marmottes des peurs, des remords, des regrets et des craintes, qui rampent autour de lui comme si la terre était retournée à l'envers avec la grouillante vie gluante qui glisse sous les fleurs et l'herbe verte. Il ne boira plus. Une nuit aussi noire, c'est ce que voit un cadavre dans son cercueil, c'est celle que voyait le Notaire Caillouette avant que Gros-Douillette et Petit-Lecourt ne lui ouvrent la porte sur la vraie nuit, celle où brillent les étoiles, celle où les anges patinent sur le ciel bleu. Il ne boira plus.

L'église est devant lui, debout. Elle n'a jamais brûlé. Il marche vers la grosse porte de bois fleurie de ferrures et d'écrous forgés. Il pousse de l'épaule. Elle crisse sur ses charnières. Une odeur de cierges et de prières: la senteur du bon Dieu. Il a rêvé l'autre jour que l'église flambait comme une allumette. Un rêve fou. La nuit se referme sur lui comme une porte grinçante. Il distingue les marches d'un escalier noir. L'escalier qui mène à l'orgue. Ses pieds cherchent les marches. Il n'a jamais vu l'orgue. Depuis l'enfance, il entend sa voix. Et la nef frémit comme une vaste poitrine. L'orgue est là-haut. Les marches sont molles. Gros-Douillette est un peu ivre mais il ne boira plus jamais. Mettre le feu à l'église... le feu à l'église... Il n'ose pas frotter une allumette. Aussi nage-t-il dans la nuit avec de grands gestes flasques.

De très loin dans son âme, naît la pointe d'un sentiment de reconnaissance envers ce Dieu trop bon. Il s'agrandit, il entoure Gros-Douillette, il s'étale encore; toute la nuit est remplie de la reconnaissance d'une humble créature envers son Dieu. Les mains de Gros-Douillette s'écrasent sur le clavier aux notes bouillantes. La nuit fragile va tomber en cendres sous la proche lumière du matin. Il veut remercier Dieu, mais sa voix n'est pas assez puissante pour être entendue du Dieu lointain. Il empruntera la voix de l'orgue. Gros-Douillette crie:

— Merci Dieu! Merci Dieu!

Ce n'est pas assez: ce sont des petits cris d'homme qui se perdent comme grains de sable dans la mer de la nuit.

— Merci Dieu! Dieu merci!

Ses mains courent sur les claviers, poussent et tirent des boutons, ses pieds dansent sur les pédaliers. Un grand vent, un grand souffle, une tempête se lève: la nuit frémit, noire immensément, toute gonflée par le vent qu'il a déchaîné:

— Merci Dieu!

Ses doigts crispés retiennent les touches enfoncées sur le clavier du grand orgue, ses pieds piétinent furieusement le pédalier et tremblent les tuyaux; les lèvres ne sont pas assez larges pour laisser jaillir ce puissant cri agité par un soufflet d'ouragan, les tuyaux vont se déchirer et soudainement le grand cri de reconnaissance de Gros-Douillette à son Dieu gicle en flammes au bout des tuyaux et, oiseaux de feu, ils s'envolent. Gros-Douillette martèle le clavier possédé par le désir forcené de faire fondre la nuit du ciel comme givre à une fenêtre. Le souffle de l'orgue est aussi celui de ses poumons. L'orgue hurle et pleure, l'orgue pousse des cris de feu.

Gros-Douillette croit entendre sa propre voix.

Sous la violente poussée des pieds sur le pédalier, la terre se décroche de la nuit qui craque de toutes ses fibres tendues; lentement la nuit s'arrache de la terre; toutes les racines de la nuit se tordent, s'efforcent, et le feu jaillissant de l'orgue s'étale en une gerbe, en un torrent, en un fleuve brillant, pour emporter Gros-Douillette.

Tard le matin, la famille de Démeryse s'aperçoit qu'elle ne dort pas: elle est morte. Plus tard encore, sa fille remarque, plié sous le lit de Démeryse, son manteau. Qui a bien pu sortir le manteau du placard pour le fourrer là? Elle le ramasse. Un bruit de ferraille: calice, ciboire, lunule, ostensoir, hosties, les trésors bénits roulent sur le plancher.

— Au secours!

La famille accourt, les yeux secs, car Démeryse était si vieille, si malade que sa mort est une délivrance. Les trésors de l'église! Les yeux se recouvrent de larmes. On ne serait pas plus étonné si on voyait par la fenêtre de Démeryse l'église intacte. On appelle le Curé. Il arrive hors d'haleine, bénissant, pâle comme une âme sortie du cimetière:

— J'ai vu Madame Démeryse entrer dans l'église en flammes, répète le Curé. Je l'ai déclaré publiquement. J'ai vu Démeryse entrer dans le feu comme on passe une porte. Malheureusement, en ces temps où l'or et l'argent sont les dieux, les paroissiens ne veulent plus croire leur pasteur.

— Voyons Monsieur le Curé, ça se peut pas... Démeryse avait pus de jambes. Ses grosses jambes étaient molles comme du beurre. Dieu s'était enlevé de dans ses os et ses muscles.

— Démeryse était morte jusqu'à moitié de son corps.

— Alors c'est son âme — son âme immortelle — qui est allée sauver nos trésors. Dieu a voulu que Démeryse, la plus faible d'entre nous, se lève comme le paralytique de l'Évangile, et aille sauver l'or sacré des flammes dévastatrices, parce que l'or, c'est le métal de Dieu.

Le Curé s'agenouille devant les précieux objets sauvés miraculeusement. Avec le respect dû aux mystères, aux miracles et à l'or, ses lèvres effleurent les trésors.

— Moé, j' comprends pas. Ça serait-i' l' yable qui serait venu en même temps prendre les ciboires et Démeryse?

— Moé j' dis qu'y a du miraculeux: Démeryse a pas

marché pendant sept ans. Tout à coup, elle marche...
Pis elle meurt!

On parle du miracle dans les villages voisins où seuls
les jeunes enfants ne connaissent pas Démeryse; on
parle du miracle dans le *Journal des catholiques* de Québec; on parle de l'exploit de Démeryse à la télévision;
on parle de Démeryse même à la télévision anglaise de
Montréal. Les gens affluent devant son cercueil. Beaucoup ont dansé avec Démeryse, ils ont serré dans leurs
bras sa grosse taille et son poitrail à l'écorce dure qui
avait la chaleur d'un coup de soleil. Tous se prosternent
devant Démeryse. Même les épouses s'attendrissent.
Démeryse sommeille dans une sainte paix, dans la lumière des saints trésors qu'elle a sauvés. Les bougies
qui multiplient leurs flammes dans l'or convexe des
vases précieux entourent Démeryse d'une auréole qui
n'est pas terrestre.

Le lendemain, quand sa mémoire refait surface,
Petit-Lecourt se confesse à sa femme d'avoir mis le feu
à l'église. Elle ne l'assomme pas. Elle l'écoute sans rugir
ni griffer. Elle entend, sans avoir l'air d'y croire, le récit
de son homme qui raconte toutes les étapes de son aventure, sa découverte du trésor et les épisodes qui ont
suivi. Elle ne crie pas. Elle ne frappe pas. Elle ne pleure
pas. Il insiste sur le fait qu'il n'a pas lui-même allumé le
feu à l'église; il a vu de ses yeux, vu ce qui s'appelle voir
« comme j' te vois » le Notaire Caillouette étendre le
feu dans le sous-sol de l'église comme du beurre sur
du pain.

— As-tu fini? dit-elle, presque doucement.

— T'en dire plusse, ça serait dire des menteries...

Elle ne saute pas sur lui. Elle ouvre lentement la
porte:

— Arthur! appelle-t-elle.

Un gros chien entre, la boue collée au poil des pattes. Ce chien n'est pas batailleur; elle lui a donné le

nom d'un homme qui n'avait pas voulu aller faire la guerre. Elle ne le laisse sortir que retenu par une chaîne. Elle détache la chaîne à son collier et, sans donner de coup ni jeter des insultes, elle l'accroche à la ceinture du pantalon de son homme. Elle noue la chaîne. Un peu amusé, un peu inquiet, Petit-Lecourt la regarde chercher dans une armoire. Un cadenas. Elle insère l'arceau du cadenas dans deux maillons de la chaîne, elle laisse glisser la clef entre ses seins et pousse son homme dehors.

— Si j' te laisse libre, tu vas faire encore plus de dégâts que ton chien. Arthur, lui, a jamais mis le feu dans une église. Pis s'i' déterre des os, c'est parce qu'i' cherchait des os. S'i' cherchait de l'or, i' en trouverait.

Pendant que son chien gambade libre et sale, Petit-Lecourt au bout de sa chaîne regarde s'approcher l'hiver:

— Pauvre Gros-Douillette...

II

La terre, sous les pieds, durcit: la glace déjà s'y cache. Si l'on quitte la route pour marcher sur l'herbe, on entend de vifs craquements qui ne sont pas ceux des ailes des insectes apeurés, comme en été, mais le bruit de quelque chose qui se casse. Le ciel s'abaisse, il se rapproche de jour en jour:

— I' pése. I' est ben pésant de neige.

— I' est à veille d'accoucher.

Bientôt le ventre du ciel va s'ouvrir pour la naissance de l'hiver.

À l'Auberge du Bon Boire, il y a de la chaleur! Revenus de la chasse, les villageois attendent la première neige.

— L'hiver encore une fois...

— Si on était riches, on verrait pas ça encore une fois...

— On s'achèterait un petit terrain en dessous d'un rayon de soleil!

— Si on n'était pas si pauvres...

Dans la fumée des cigarettes et des pipes, reviennent flotter des paroles qui ont été dites, redites et répétées:

— I' paraît qu'en dessous de nos pieds, y a de l'or...

L'on se tait. Comme si l'homme à la Cadillac blanche avait pris place à leur table. Ils se taisent, écoutant ses paroles dans l'écho du temps.

— Creusez, creusez! Y a de l'or. La science le prouve.

— De l'or dans nos pacages où nos vaches crèvent de faim? Ça se peut pas...

— Le carrosse en or de l'avenir va vous emporter que vous le vouliez ou non...

L'homme à la Cadillac blanche parle. Sous la montagne, dans les champs, sous les labours, sous la terre gelée, il y a autant d'or qu'il y aura de neige cette année. Les villageois se recueillent. Quand ils sortent de l'Auberge, le vent passe devant eux comme un cheval fou et piétine leur joie.

Bientôt la neige tombe sur la cendre de l'église et sur le chaume gris. Il neige sur les toits, il neige dans les champs. La neige recouvre la route qui mène, de l'autre côté de la forêt, aux villages en bas. Tout est blanc, tout est silence. La neige cache la route, estompe les villages voisins, elle efface les débris noirs de l'église. Dans le cimetière, la tombe de Gros-Douillette dont on n'a pas trouvé le corps, celle de Démeryse, celle du Notaire, disparaissent sous la neige comme les choses glissent dans l'oubli.

Chacun devient un peu sourd, pelotonné dans son rêve. Dans la chaleur électrique des maisons, passe parfois la nostalgie douce de ce bois qui répandait ses parfums, de ses crépitements et de ses chansons dans le feu du poêle. Le givre s'installe à tous les interstices. Le frimas adhère aux fenêtres qui peu à peu ferment leurs paupières sur un blanc silence. Le froid s'endort sur les lèvres. Les paroles deviennent froides sur la langue. Entre chaque phrase, l'on rêve. L'écorce des arbres se durcit comme la peau des villageois. L'on songe à l'été. L'on songe à l'automne. La neige abolit le présent. L'on se souvient des anciens hivers semblables à celui-ci où l'on attendait le printemps. Sous la neige, le temps passé veille. Les villageois parlent des autres neiges, celles d'antan quand les tempêtes faisaient peur aux hommes, quand les tempêtes faisaient pleurer les femmes, quand les tempêtes engouffraient les villages dans leurs remous blancs. Ces histoires, ils les disent avec cette foi qu'ont, dans les contes, les vieux marins pour narrer les mêmes naufrages avec des vagues dont l'impétuosité féroce augmente de récit en récit. Puis ils se taisent. Ils écoutent. Dans le silence, ces histoires continuent, sans voix, de se raconter elles-mêmes. Ainsi les villageois, emmitouflés dans les fourrures du silence, écoutent des noms qui reviennent comme le souvenir d'un autre temps.

Ils sont cinq, six, ensemble. Ils se bercent, tricotent, somnolent, fument, cousent. Ils attisent avec piété le feu des mots. Ils sont réunis dans la maison du Notaire Actuel qui a succédé au Notaire Caillouette, après sa mort. Madame Petit-Lecourt et son chien Arthur habitent la maison pendant que le Notaire Actuel a fui l'hiver sur les plages de la Floride.

— Une maison demande une présence, surtout en hiver, a raconté Madame Petit-Lecourt dans la salle d'attente du docteur. Mais une présence comme moé a besoin de présences; j' m'ennuie dans ce château où y a des couloirs plus grands que ma maison. Le Notaire Actuel m'a dit: « Faites comme chez vous »; chez moé, j'invite du monde.

C'est ainsi que les villageois ont eu accès au château de l'ancien Notaire Caillouette. Petit-Lecourt, lui, a la responsabilité de protéger sa propre maison. Il lui est cependant interdit d'aller plus loin que la chaîne qui le retient.

L'âme du Notaire Caillouette est venue se mêler à leurs paroles. Le Cordonnier se souvient. Le Cordonnier raconte comme si c'était la première fois:

— Tout d'un coup, qui c'est que j' vois devant moé, les pieds su' mon plancher, les pieds dans mes retailles de cuir? Le Notaire! J'ai été surpris parce qu'avec ses petits souliers vernis et ses poignets de chemise empésés, pis son costume en couleur de Monsieur-de-la-ville, i' avait jamais daigné venir dans ma choppe. À s'avancer entre les harnais de cuir huilé pendus au plafond, à se faufiler entre les colliers, les cordeaux, les sellettes, les traits graissés et les pots de cirage noir, i' aurait pu se salir. I' aurait pu se salir juste à me donner la main. C'est probablement pour ça qu'i' me l'a pas donnée. Alors moé, j' sus resté la main tendue, la main offerte, en l'air. Ma main avait l'air bête comme une gueule de joual qui attend sa portion d'avoine depuis deux jours. Le Notaire tenait, au boutte de ses deux petites mains blanches, deux souliers qu'i' a laissé tomber su' mon comptoir. Les mains de cet homme-là étaient blanches comme une nappe brodée, enveloppée dans le papier de soie bleu et qui a jamais vu la lumière du jour. Les ongles nets et blancs. Des mains qui ont jamais travaillé. J'entends encore sa petite voix haute comme la dernière note de l'harmonium: « Faites-moi des semelles épaisses, épaisses comme ça, plus que deux doigts d'épais, mais creuses, oui, creusées à l'intérieur, oui, c'est ça, une sorte de petite fosse dans les semelles. »

C'était des souliers qui avaient jamais touché la terre où on marche, des beaux souliers fins, vernis, noirs. « C'est mes souliers d'enterrement. Faites-moi des semelles épaisses avec une petite fosse dedans. Vous comprenez? »

J'ai taillé les semelles, j'ai creusé ses petites fosses pis j'ai prévenu le Notaire comme i' me l'avait demandé. Là, j'ai vu ses petits doigts déposer dans les semelles de cuir, épaisses comme une bonne tarte aux pommes, plusse de gros billets qu'i' doit y en avoir dans la banque de Saint-Camille-de-Bellechasse. Par-dessus les petites fosses remplies d'argent, j'ai collé la dernière semelle de cuir su' la trépointe, j'ai enfoncé l'alène, j'ai cousu. I' a pris les souliers. I' m'a payé. J'entends encore sa petite voix qui parlait pas trop fort pour pas déplacer la poussière: « C'est un secret entre vous et moi. »

I' est sorti. Mais i' est aussitôt revenu: « Si le secret

sort de votre bouche une seule fois, je vous promets que je sortirai de mon cercueil avec mes beaux souliers d'enterrement et que je viendrai m'étendre dans votre lit entre vous et votre femme. Quand vous étendrez la main vers elle, c'est mon corps que vous allez rencontrer. Mon corps froid de défunt que vous aurez trahi. »

Je l'entends encore: « Je vous demande le silence. C'est un serment. »

J' le vois encore. J' vous conte ça et j' me demande si le Notaire serait pas avec nous autres, à m'écouter, caché dans la boucane de ma pipe. Son secret, je l'ai gardé caché juste à côté de la chambre iousqu'on met les choses qu'on veut oublier. J'ai raconté cette histoire-là seulement après que ma défunte femme a été morte, enterrée pendant tout un hiver.

— C'était le commencement de la folie du Notaire...

— Fou? I' a commencé de l'être ben avant ça...

— Peut-êtr' ben qu'i' était pas fou pis que nous autres, on l'est...

— Moé, j' voudrais ben avoir le droit de parler, dit une femme; j'en aurais long à dévider...

Imelda Boucher taillait et cousait les costumes de tous les hommes du village avant que ne s'abatte cette mode qui les a rendus folichons comme des coquettes.

— Maudites modes! Un homme a toujours la même chose à mettre dans son pantalon. Pourquoi i' veut-i' porter des culottes étroites en juin et larges en novembre? Au temps du Notaire Caillouette...

Même le Notaire demandait à Imelda Boucher de tailler et coudre ses costumes. Un seul privilège le distinguait des autres fidèles clients: il allait acheter lui-même son propre tissu chez un Italien à Montréal.

— J' peux pas parler, assure Imelda Boucher. Aussi longtemps que mon Thomas va être en vie, j' peux pas parler. J' me tais. Pis mon Thomas a une santé de fer. Thomas, ç'a les poumons solides comme le pont de Québec. Son père est mort à quatre-vingt-quatorze ans.

Sa mère est morte quinze ans après à quatre-vingt-dix-neuf. Ça fait que c'est pas demain que j' vas parler.

Imelda Boucher se lève pour faire le geste de poser un rondin dans le feu mais elle se souvient que le feu désormais se nourrit d'électricité et elle revient s'asseoir.

— J'ai pas le droit de parler, parce que j'ai fait serment, mais tout le monde sait que dans les épaules des costumes, y a de la rembourrure, des épaulettes. Dans ce temps-là, la mode voulait que les hommes aient la tête sur les épaules comme une cruche sur une armoire à glace. Moé, j' savais ce que le monde savait pas: le Notaire avait une épaule plus basse que l'autre: i' avait, comme on dit, une épaule de porteur d'eau. Pauvre Notaire! I' avait même pas de poitrine! I' avait la peau de la poitrine collée su' la colonne vertébrale. C'est vrai que d'être penché toute une vie su' des testaments pis des piasses, c'est pas ce qui a développé la poitrine de Monsieur Univers. Mais le Notaire était fier, ordilleux! I' m' demandait toujours de lui faire des épaules et une poitrine. Alors j' prenais deux morceaux de bougrine — c'est une espèce de toile qu'on met dans les doublures — j' mettais de la ouate, ben de la ouate, et quand le Notaire enfilait son costume, i' avait des épaules et une poitrine dignes de lui. Le Notaire était un client fidèle... Ah! I' m'a trompée quèques fois: i' s'est acheté des costumes à Québec, à Montréal et plus loin quand i' y est allé. Mais j' peux proclamer à la face du monde que quand i' a voulu se procurer son costume d'enterrement, c'est à moé, Imelda Boucher, que le Notaire est venu le commander. Personne d'autre qu'Imelda Boucher. J' le vois encore devant moé en caleçon rayé jaune et vert, debout avec ses grands souliers anglais, ses chaussettes de laine et ses jambes pas plus grosses que son crayon et sa petite poitrine avec des os qui passaient à travers la viande comme des arêtes de poisson. Je me rappelle de sa petite bedaine: à force d'être penché su' le papier, toute la peau du corps lui était descendue su' les genoux. Tout à coup, le Notaire me regarde dans les yeux. J' dis regarder, mais c'est plusse que ça. Son regard dur comme des clous m'a traversé le corps. J'étais clouée su' ma chaise. J'ai entendu sa petite voix de tousseux me supplier: « Dans mon costume de mort, je veux que vous me donniez un torse, des épaules, des biceps comme les joueurs des Canadiens de Montréal. Dans ma mort, je veux être celui que je n'ai pas pu être dans ma vie.

— Monsieur le Notaire, pour vous faire des biceps et des épaules et une poitrine, on peut mettre de la ouate ou ben de la plume, comme dans un oreiller.

— Non! que le Notaire a dit, fâché comme si j'avais dit que sa mère était une chienne. Non! Vous allez utiliser ce matériau. »

I' a ouvert son porte-documents et m'a montré c' qui m'avait emporté pour rembourrer son costume d'enterrement.

— Qu'est-cé que c'était son matériau?

— J'ai pas le droit de le dire. Si j'avais le malheur de révéler un iota — le Curé a expliqué dimanche dernier combien c'est gros un iota — de ce que j'ai vu dans le porte-documents, mon Thomas aurait, en même temps que j' prononce ce mot-là, une explosion dans le coeur. Mais c' que j'ai vu, j' mets ma main au feu qu'y en aurait assez pour meubler une nouvelle église. Mais vous me ferez pas parler. J'ai fait le serment au Notaire d'être muette comme une tombe.

Imelda Boucher a raconté cette histoire dans toutes les maisons du village. Quand le ciel se fait sombre, Imelda se souvient du Notaire et elle raconte son histoire. Quand le vent souffle dans les branches nues de l'automne, elle pense à l'âme du Notaire et elle raconte son histoire. L'hiver, quand le vent s'aiguise sur la pierre dure de la neige, il chuchote le nom du Notaire et Imelda raconte son histoire. Jamais elle n'a dit, cependant, jamais elle ne dira du vivant de Thomas, son homme, de quoi elle a rembourré le costume du Notaire. Les autres se bercent, tricotent, songent, fument.

— Trop d'argent! lance Aristote Fait-Toute, le charpentier, dans le silence de l'histoire terminée. Trop d'argent! Ç'a été la graine qui a semé sa folie.

— Fou! s'étonne Madame Petit-Lecourt.

Elle prend dans l'armoire une tasse parmi d'autres tasses aux motifs fleuris peints à la main par la femme du Notaire Caillouette, elle se verse un thé, retourne à sa chaise, trempe la lèvre dans son thé et recommence à se bercer.

— Fou? répète-t-elle. Le Notaire était pas fou.

— Quand un homme, dit le Cordonnier, vient faire coudre des semelles spéciales à ses souliers de mort, c'est parce qu'i' a eu frette à la cervelle, vous me direz pas le contraire!

— Quand un homme, dit Imelda Boucher, vient demander à la meilleure couturière du canton de coudre des petites fantaisies à son habit de mort, on a beau le voir marcher la tête haute dans la rue principale, on peut pas s'empêcher de penser qu'i' a un grelot dans la cervelle.

— Le Notaire Caillouette était pas fou, tranche Madame Petit-Lecourt, qui arrête de se bercer. J' sais de quoi j' parle. Quand une femme a lavé les planchers d'un homme, ses chemises, sa vaisselle, ses chaussettes et ses draps pendant des années, elle en sait long. Le Notaire était pas fou. Cet homme-là, je l'ai connu mieux que sa propre femme parce que Madame la Notairesse lavait pas ses chaussettes, ni ses draps ni sa vaisselle. Comment voulez-vous qu'un homme aime une femme qui a dédain de ses chaussettes? Moé j' sais qu'y a jamais eu d'histoire d'amour entre le Notaire et la Notairesse. L'amour est pas entré dans le coeur de ces gens-là... Toute l'amour qu'i' aurait dû donner à sa femme, i' l'a donné à l'argent.

— Moé, dit Aristote Fait-Toute, j' me gêne pas pour déclarer publiquement que le Notaire était fou comme un chien qui a la guêpe au cul. I' était fou, mais dans nos pays, on enferme pas un fou qui sait le latin.

— Penser à la vie qu'on va mener quand on va être mort, ça serait une affaire de fou? demande Madame Petit-Lecourt.

— Oui, parce qu'on peut pas le savoir. On peut essayer de voir loin, de l'autre bord de la fenêtre, mais y a toujours comme du frimas. Un homme peut gratter toute une vie, mais y restera toujours du frimas. Gratte si tu veux, tu vas t'user les ongles jusqu'aux coudes, mais tu verras bien. C'est pour ça que c'est fou de penser.

Les gros doigts calleux d'Aristote Fait-Toute se referment sur la blague à tabac en plastique qui feint d'imiter les anciennes blagues faites d'une vessie de porc. Et chacun est repris par le silence.

— Un homme qui sait semer l'argent, la renchausser, l'arroser, la protéger de la vermine, la faire fructifier, est-ce que c'est un fou? Quand le Notaire faisait fleurir votre argent, l'appeliez-vous fou? Le Notaire était un génie!

— Un génie qui a traversé le pont de la folie, conclut Aristote.

— Parle-nous donc du plafond, coupe Madame Petit-Lecourt.

— Du plafond? P'tit Jésus tout nu! Du plafond! répète Aristote Fait-Toute. Y a un plafond dans toutes les maisons! C'est ordinaire, un plafond! Et si quelqu'un a un trou au plafond, i' est fou comme le Notaire. I' lui ont pas mis la camisole de force parce qu'i' savait l'anglais pis le latin!

— Et le grec aussi, à ce qu'il paraît, insinue la Veuve des Postes.

— Peut-être que les corneilles du village parlent ces langues-là!

— Et le Curé!

Aristote Fait-Toute vide sa pipe en la cognant contre la paume de sa main.

— J'ai pas le droit de parler du plafond du Notaire. C'est un secret. Le jour où j'oserais laisser glisser su' ma langue le premier mot de cette histoire-là, ma salive va m'empoisonner. Le Notaire l'a prophétisé.

Aristote Fait-Toute bourre avec du tabac neuf le fourneau de sa pipe, il cherche une allumette et il attend l'oreille tendue, l'oeil jouant l'ennui.

— Sais-tu Aristote, que t'as une maudite bonne résistance au poison! L'histoire du plafond, y a pas un habitant dans le canton qui te l'a pas entendu raconter trois fois!

Aristote Fait-Toute se pousse dans sa chaise, croise la jambe et regarde vers l'éternité.

— J'ai jamais ouvert la bouche su' mon secret avec le Notaire. C'était un secret sous serment, aussi secret que la couleur des p'tites culottes de la servante du Curé. Le Notaire m'avait demandé de refaire le plafond de sa salle à dîner. C'est une chose naturelle pour un menuisier-charpentier de faire un plafond, p'tit Jésus tout nu!

Aristote Fait-Toute se cache dans un nuage de fumée:

— Arrachez-moé les ongles, brûlez-moé au fer rouge, coupez-moé les parties pas catholiques, j' parlerai pas.

De nouveau le silence règne dans la cuisine comme à l'extérieur, sur la neige. Les dos se voûtent. Il faut quitter ce silence.

— Vous et moé, on est du même village, dit Imelda Boucher, du même passé, quasiment des mêmes pére et mére. Raconter entre nous ce qu'on sait, c'est la même chose que d'y penser toute seule dans sa tête.

— J'ai souvent entendu ma mère dire: « Quand y a un échange de secrets, y a pas bris du secret. »

— Si Aristote Fait-Toute nous donne l'histoire du plafond, j' vais vous donner l'histoire de l'oreiller du Notaire!

Aristote aspire une bouffée de fumée qui descend dans son ventre, et remonte jusqu'à sa pensée qui s'embrouille.

— Si le Notaire revient?

— Tu me l'enverras, dit la Veuve Gros-Douillette. Comme i' est sans doute jamais allé retrouver sa femme, i' va apprendre ce qu'est une veuve!

— J' vas vous raconter jusqu'au fond l'histoire du plafond...

Aristote crache pour s'éclaircir la voix. Il va commencer son récit. Il a déjà préparé sa première phrase. Il inspire avant de la lancer, mais Imelda Boucher, la couturière, parle avant lui:

— Une fois, le Notaire entre chez moé, poli comme toujours, ben éduqué, demandant des nouvelles de mon arthrite, des rhumatismes de mon homme, des petits à l'école, de ma fille en ville... Quand i' a eu fait le tour de ses politesses, i' ouvre sa petite valise et me présente un rouleau de tissu blanc et de la dentelle. C'était de la soie. I' souriait comme que'qu'un qui est fier de lui.

« Qu'est-ce que vous voulez que j' fasse? Un jupon? Une chemise de nuitte?

— Faites-vous serment de garder mon secret? »

J'ai soupçonné tout de suite qu'y avait une attache entre son costume de mort et son rouleau de soie.

« J' vous donne ma parole de femme, mais si j' brise mon serment par malheur, j'espère que vous allez comprendre que c'est pas par méchanceté...

— Le corps de mon fantôme viendra dans votre lit si vous ne respectez pas notre secret.

— Pensez-vous que mon mari va vous laisser faire? »

Le Notaire a déroulé la soie avec les précautions qu'i' prenait pour ouvrir ses paperasses:

« Vous me ferez un petit oreiller. Faites-le moi beau. Je veux de la dentelle autour, et des broderies. Brodez mes initiales aux quatre coins de l'oreiller. Et je veux un oreiller moelleux parce que je dormirai très long-temps. »

Là, le Notaire a souri. J' me rappellerai longtemps de ce sourire-là. J' le vois encore. C'est un sourire qui allait plus loin que la bouche. C'était le sourire d'un homme qui était déjà rendu dans l'outre-tombe.

« Votre oreiller, j' vas vous le faire mou comme un nuage: rembourré de plumes de poussins.

— Non! dit le Notaire, même pas avec du duvet d'oisillon!»

— T'as pas pensé, fait le Cordonnier, de lui offrir du poil de cul?

Les hommes tirent sur leur pipe; les arceaux bercent plus vite, les femmes accélèrent les gestes du tricot et du reprisage. Il faut se retenir, car le rire chasserait l'esprit de l'histoire.

— J'ai faite l'oreiller belle, brodée, dentelée, avec des ajours, des entrelacs; l'oreiller était belle à encadrer et à exposer à l'entrée de l'église. Le Notaire est revenu. Devant l'oreiller, i' a rien dit mais son sourire lui faisait le tour de la tête. Sans parler, i' m'a ouvert sous les yeux sa petite valise.

« C'est-i' la bourrure pour l'oreiller? »

Pour me répondre, i' a pris une poignée de c' qui y avait dans la petite valise...

— J' suppose, insinue Aristote Fait-Toute, que c'était pas de la m...

Les hommes tirent sur leur pipe, les aiguilles des femmes, la laine, le fil courent.

— J' vous ai pas fait goûter à mon vin de gadelles, dit la Veuve Gros-Douillette. Mon homme les avait ramassées juste avant de mourir. J'osais pas faire du vin, vous comprenez que j'étais une veuve en deuil. Mais j'ai pensé que c'est pas parce que Gros-Douillette pourrit que j'ai le droit de laisser pourrir les gadelles qu'i' a ramassées de ses propres mains de vivant. J'ai apporté que'ques fioles dans mon sac à tricot. Voulez-vous goûter?

Elle remplit les verres que lui sort d'une armoire Madame Petit-Lecourt. Les aiguilles, les pipes, les broches à tricoter se posent. L'on happe du bout des lèvres, l'on avale de rondes gorgées et l'on vide les verres que la Veuve Gros-Douillette remplit.

— Si i' se fait du meilleur vin de gadelles dans le canton, moé, j' sus pas au courant.

— C'est probablement parce que c'est une veuve qui a manoeuvré les gadelles, explique Aristote Fait-Toute.

Pour réussir à ne pas rire, l'on reprend la pipe, les broches à tricoter, l'aiguille.

— Alors le Notaire a rempli l'oreiller, i' l'a bourrée jusqu'à ce qu'elle soit ronde et que les coutures aient envie de se casser. Pis j'ai fini de coudre le rebord. En repartant avec l'oreiller, le Notaire m'a dit, presque en criant: « Briser votre serment du secret, ce serait briser la chaîne qui retiendra mon fantôme dans mon cercueil. »

— J' peux pas vous dire avec quoi le Notaire a bourré son oreiller de mort mais si que'qu'un a un oreiller rempli avec la même bourrure, i' peut partir faire le tour du monde!

Elle s'empare de la bouteille et remplit les verres.

— Et ton plafond, Aristote Fait-Toute?

— Mon plafond? ronchonne Aristote, c'est pas mon plafond mais le plafond du Notaire.

Le silence se pose. Les autres ne parlent pas. Quand un mot leur monte aux lèvres, ils le noient dans une lampée de vin. Le silence est un piège qu'ils tendent à Aristote; il doit s'y prendre. Les verres sont vides. Aristote remplit le sien. La bouteille fait le tour. Se vidant, le vin semble rire dans son goulot.

— Y a rien de caché dans le plafond du Notaire. Y a pas plus de trésor là que dans mes poches.

Comme preuve, il tourne ses poches à l'envers et il en tombe quelques sous et des miettes de tabac. Les regards le harassent comme d'agaçants moustiques d'été.

— Si j'ai pas dit la vérité su' c' plafond-là, que le

P'tit Jésus tout nu casse ma pipe drette là, dans ma gueule, entre mes dents.

Aucun éclair ne vient même chatouiller sa pipe. Madame Petit-Lecourt disparaît dans l'autre pièce, l'on entend ses talons sonner sur le parquet de chêne, on entend une clef tourner dans une serrure, on entend tinter du verre. Elle revient avec une brassée de bouteilles empruntées au Notaire Actuel.

— Aujourd'hui, dit-elle, c'est le jour de la générosité.

— Y a pas de trésor caché dans le plafond du Notaire, poursuit Aristote Fait-Toute.

— Si y avait rien, pourquoi c'est que t'as fait au Notaire le serment de pas dire ce que t'avais caché?

La Couturière a posé cette question avec les yeux d'un enfant qui arrache une aile à une mouche.

— Si tu peux pas nous parler du plafond, raconte-nous le voyage en Floride que t'as faite aussitôt que le plâtre du plafond a été séché.

— C'était le premier voyage que j' faisais dans ma vie. J'avais même pas faite de voyage de noces dans ma jeunesse.

La Veuve des Postes vide son verre d'un coup agressif:

— Le plâtre du plafond était encore humide, pis déjà, toé pis ta femme, vous étiez dans l'avion, en route pour le pays des Millionnaires, en première classe.

— I' fallait être en première classe parce que ma femme avait peur de l'avion comme de son propre cercueil.

— Pis après, vous étiez logés dans un hôtel où une femme, même si elle est tout nue, doit toujours avoir un chapeau sur la tête. I' paraît même que dans votre chambre, il poussait un petit palmier. C'est-i' vrai aussi qu'il y avait un ruisseau au pied du lit?

La Veuve des Postes tend son verre pour qu'on le lui remplisse. On arrête de fumer, on dépose les broches dans la laine: le coup fatal va être porté à Aristote Fait-Toute:

— Où allais-tu courir, les poches pleines d'argent, quand ta défunte femme se couchait de bonne heure le soir, parce qu'elle était souffrante du soleil?

— Veuve des Postes, proteste le Charpentier, c'est ben normal qu'un homme normal courre après les femmes comme après la fortune...

— Mais quand ta défunte femme a vu le rouge à lèvres imprimé partout sur ta combinaison d'été en coton, elle a eu l'idée d'inspecter tes affaires et qu'est-ce qu'elle a trouvé caché dans tes souliers? Des portraits de guidounes que tu payais pour qu'elles t'étendent du rouge à lèvres partout où tu voulais. C'est ce qui l'a tuée, ta pauvre défunte femme. Et sans ce maudit plafond du Notaire, elle serait encore là, avec nous.

— Elle boirait tranquillement son p'tit verre de vin.

— Ma femme, c'était une ben bonne femme; l' bon Dieu a pas créé beaucoup de meilleures créatures, dit Aristote, se souvenant de choses lointaines dans sa mémoire. Mais la vie d'un Canadien français est ben dure. Comme tous nous autres, ma femme avait plus de bouillie que de fer dans le sang. Pis elle était habitée par un microbe plus gros qu'elle. Ma seule faute, contre elle, ça été de l'emmener en Floride. Le soleil en plein hiver, ça a fait grossir le microbe et elle était pas assez grosse pour le contenir: elle a craqué. La Floride, au bout du chemin, a été meilleure pour le microbe que pour ma femme.

La Veuve des Postes croyait avoir tranché la veine jugulaire de l'animal à abattre; Aristote Fait-Toute est vigoureux. Elle vide son verre comme un vieux soldat avant de courir au front. La Veuve des Postes va porter un autre coup:

— Le travail des mains fait des ampoules, des cals, le travail des mains égratigne la peau, mais il n'enrichit pas. Le travail n'enrichit pas l'ouvrier à moins que l'ouvrier, une fois, ait à cacher une fortune dans un plafond... Si l'ouvrier cache fidèlement le trésor dans le plafond à l'endroit où le Notaire lui dit de le faire, l'ouvrier ne devient pas riche. Mais, je dis mais, si l'ouvrier fait semblant de cacher le trésor dans le plafond du Notaire, je dis: fait semblant, et s'il le cache ailleurs, celui-là peut aller en Floride regarder agoniser sa femme en se faisant chatouiller par les guidounes de l'Amérique. Cet ouvrier-là peut même retourner faire un pèlerinage aux guidounes quand il est devenu veuf!

Cette fois, l'animal est ébranlé. La Veuve des Postes saisit la bouteille et boit au goulot.

— J' peux pas me défendre, bafouille Aristote, à cause de mon maudit serment.

Secouée d'un frisson de mépris pour Aristote, la Veuve des Postes renverse son verre et le vin de gadelles dégouline entre ses doigts:

— Du rouge à lèvres, le cochon d'Aristote en avait, paraît-il, du cou au nombril, autour du nombril et paraîtrait-il, plus bas. Du rouge à lèvres de guidounes, ça coûte une fortune, paraît-il. La fortune, Aristote Fait-Toute l'avait trouvée dans le plafond du Notaire.

Elle lève les yeux vers le plafond, pointe le doigt et elle crie:

— Là!

Elle s'empare d'une chaise, la glisse sous l'endroit qu'elle a visé et elle escalade la chaise. Le doigt repointe le plafond au même endroit:

— Là, répète-t-elle.

Le Cordonnier s'approche d'Aristote et très maternellement remplit son verre. Aristote respire fort, comme s'il avait reçu un coup au ventre.

— Un trésor dans le plafond, dit-il avec effort, c'est quelquefois comme un trésor dans un oreiller... Ça s'envole, sans laisser de plumes... Le Notaire était mort, on le veillait depuis trois jours. Et trois nuittes. Toute la paroisse entière et ben des étrangers sont venus voir cet homme si instruit qu'i' savait écrire des papiers que juste lui tout seul pouvait lire. Les gens disaient:

« I' a l'air de dormir. » Quand on entendait une bonne histoire, on allait rire dehors. Pour pas le réveiller. Quand l'heure est arrivée de refermer le couvercle de la tombe, Imelda Boucher, la couturière...

— Le Notaire s'appelait Amédée, lance Imelda Boucher. J' pense que les anges du ciel m'ont envoyé une idée. J'ai lu dans mon missel *Amo Deum*. *Amo Deum*, ça veut dire: j'aime le bon Dieu. *Amo Deum*, Amédée, c'est quasiment pareil. *Amo Deum*, Amédée, c'était la plus belle chose qu'on pouvait mettre sur l'oreiller où le Notaire va dormir pendant toute l'éternité.

— Quand Imelda Boucher, la Couturiére, est revenue avec l'oreiller brodé, la veuve du Notaire a baisé les mots *Amo Deum*, mais elle a pas touché à Amédée. Le Curé l'a béni, tout le monde s'est jeté à genoux, le croque-mort en chef a soulevé la tête du mort. Et on a enterré le Notaire. Aux funérailles, personne a remarqué que la Couturiére marchait avec un peu plus de précautions que d'habitude. Les piasses qui rembourraient l'oreiller du mort étaient pus dans l'oreiller, mais elles étaient dans les culottes à manches d'Imelda Boucher la Couturiére. Les piasses lui picotaient les fesses et c'est pour ça qu'elle marchait comme un enfant de choeur qui a envie pendant la lecture du saint Évangile. Personne a remarqué ça. Même pas le mort!

La bouteille glisse des mains d'Imelda Boucher et se fracasse en éclaboussant les jambes des parleurs. Madame Petit-Lecourt brandit déjà une vadrouille.

— La vérité a jeté la bouteille à terre, dit Aristote Fait-Toute.

— La vérité, crie Madame Petit-Lecourt, on va voir iousqu'elle est.

S'arrêtant de ramasser les débris de verre et d'étancher le vin de gadelles, le manche de la vadrouille fait un grand moulinet et sa pointe est fichée dans le plâtre du plafond. L'épieu frappe, frénétique, pique en plusieurs endroits, ouvre plusieurs trous. Le plafond se fissure, il craque, il éclate, il tombe en une collante poussière, éventré.

— On va trouver la vérité.

Imelda Boucher, la Couturière, s'est emparé d'un balai, le Cordonnier grimpe sur la table. L'on déchire, l'on déchiquète, l'on arrache le plafond. Aristote Fait-Toute est paralysé. La poussière n'en finit pas de dégringoler, nuage suffocant et grené. Le plâtre est arraché, la feuille isolante mise en pièces. Les mains s'accrochent aux lattes. Ils balancent leurs corps suspendus au plafond, ils pépient sous la bordée de poussière de plâtre. La latte craque, cède. Avec un cri de victoire, ils retombent sur le plancher pour rebondir vers le plafond et faire une autre brèche. Apparaissent les solives et le plancher de l'étage supérieur.

— On voit la vérité, dit Madame Petit-Lecourt. Aristote Fait-Toute a tout pris.

— I' nous a rien laissé.

Les épaules blanches de plâtre comme s'il avait traversé une tempête, pâle et prostré, Aristote sort sans colère ni remords. La neige est blanche, un peu dure; comme le plâtre, elle crisse sous les pieds. Il pense à la Floride et il sourit. Ce si lointain pays de soleil, il ne pourra jamais plus y retourner.

— Dans la vie, dit Madame Petit-Lecourt, quand on cherche la vérité, on ramasse la saleté.

Elle entreprend de nettoyer la pièce.

— Je dis que nous avons découvert la vérité vraie, assure la Veuve des Postes. Dans une lettre, le Notaire a écrit: « Si tu connaissais un jour le dénuement du pauvre saint Job, lève les yeux vers le ciel. Là, tu apercevras un trésor. » Le Notaire l'a écrit de sa propre main. Si on lève les yeux vers le ciel, qu'est-ce qu'on voit? Le plafond. Le trésor du Notaire aurait été dans le plafond si Aristote Fait-Toute l'avait déposé dans le plafond.

— Le Notaire, demande le Cordonnier avec un sourire aigü comme un poignard, i' t'écrivait-i'?

— Cordonnier, si tu comprenais la loi du service postal, tu saurais que toute correspondance qui risque de constituer un danger doit être lue, jugée et communiquée aux autorités.

— Y avait-i' un danger grave?

— Mes petites narines ont senti de loin le danger. Le Notaire était allé faire un voyage. En Grèce. C'est dans les Vieux Pays.

— C'est ben sale dans les Vieux Pays, assure Madame Petit-Lecourt. Là-bas, toute ce plâtre, i' l'auraient laissé su' le plancher et i' auraient marché dedans pendant des années et des siècles.

— Vous dites la vérité: après la guerre, y a combien de soldats canadiens qui sont revenus des Vieux Pays, les parties secrètes toutes mangeaillées par les microbes qui mâchouillaient aussi longtemps qu'y avait de la viande.

— À son retour de Grèce, la peau cuite par le beau soleil de ce pays-là, le Notaire venait mettre à la poste des lettres qu'il envoyait dans les Vieux Pays. Moi, je collais les timbres. Je restais derrière ma cage, mais ma salive s'envolait, derrière les timbres, dans les Vieux Pays. Toutes les lettres étaient adressées à la même personne. Et cette personne répondait avec des lettres qui avaient des timbres en couleurs beaux comme des fleurs. Le Notaire écrivait de plus en plus souvent et ses lettres pesaient de plus en plus lourd dans ma balance. Les lettres qui arrivaient de Grèce engraissaient à vue d'oeil, avec des beaux bouquets de timbres. Alors, mon intuition de femme m'a dit: « Seraient-ce des fleurs empoisonnées? » J'ai fait mon devoir de maîtresse des Postes, j'ai ouvert une lettre. J'ai décollé le rabat de l'enveloppe dans la vapeur d'une bouilloire électrique. C'était écrit, cette lettre de Grèce, en vrai français et ça disait, je m'en rappelle comme si c'était hier: « Ne dis pas, amour, que ton âge est un obstacle, je veux t'aimer toujours. » Où ai-je laissé mon sac à main?

Elle l'a sur les genoux. Elle cherche, trouve:

— J'ai quelque chose à vous lire.

Elle sort une lettre qu'elle déplie avec une tremblante piété. Le papier est usé d'avoir été lu et relu:

« Chère Maryitsa, Maryitsa, chère, très chère Maryitsa (j'ai de la difficulté à lire parce que c'est l'écriture du Notaire), Maryitsa, mon amour, je transcris pour toi un poème grec, écrit par un Grec à la jeune fille grecque qu'il adorait:

C'est au bon moment qu'il fallait cueillir,
O mon coeur, cueillir amour et jeunesse.

Le seul livre qui m'intéresse désormais est ce recueil de poèmes. Il me parle sans cesse de toi, il ne me parle que de toi. Maryitsa, je brûlerai tous mes autres livres. Maryitsa mon amour, je suis fou. »

— I' dit lui-même qu'i' est fou!

La Veuve des Postes, tournant la lettre du Notaire vers la fenêtre pour recueillir de la lumière, continue de lire:

« Je suis retourné dans la maison de notre famille où une vieille tante habite encore dans son vieil âge, et j'ai repris au grenier ces livres que j'avais étudiés dans ma jeunesse pendant les cours de grec où il était si doux de rêver. Je veux les relire car ils me rapprochent de toi. J'ai lu dans un de ces livres, ce matin, que la famille d'un défunt grec déposait dans son tombeau tout ce dont il avait besoin pour continuer une vie terrestre. N'est-ce pas beau d'aimer tellement la vie? Le défunt était enseveli avec des vêtements, du pain, du vin et des armes. N'est-ce pas beau de refuser ainsi la mort? Maryitsa, je t'aime trop pour mourir. Quand je mourrai, Maryitsa, je ne mourrai pas vraiment. Je demanderai que l'on dépose dans mon cercueil tout ce dont mon corps a besoin pour continuer sa route et se rendre jusqu'à ton pays de soleil et jusqu'à toi, Maryitsa, qui es plus lumineuse que toute la lumière. La vie sépare nos deux corps mais peut-être la mort sera-t-elle assez puissante pour réunir ce que la vie a séparé. Je suivrai la leçon de tes ancêtres, et je préparerai ma mort comme l'on prépare un long voyage. Un voyage vers notre amour, Maryitsa. »

— On devine pourquoi le cercueil du Notaire a été ouvert l'automne passé...

— Le Notaire doit s'être débattu comme une âme en peine...

Pour lire, la Veuve des Postes tient la lettre tendue entre ses doigts et tournée vers la lumière de la fenêtre. Un fouet invisible déchire la lettre; les lambeaux retombent sur ses mains paralysées.

— Ça serait-i' le passage de l'âme du défunt?

— Un homme est jamais mort...

La Veuve des Postes cherche la bouteille de vin et se réconforte avec avidité.

— Le Notaire a écrit jusqu'à son dernier jour. Mais depuis longtemps, cette petite putain de Maryitsa ne répondait plus.

Elle brandit hors de son sac à main une autre lettre:

— Celle-là, c'est la dernière lettre qu'il lui a écrite avant le jour de sa mort (elle la déplie avec infiniment de soin): « Maryitsa chérie (Je pense que le Notaire savait qu'il allait mourir parce que sa main tremblait en écrivant comme quelqu'un qui a peur.). Je me souviens avec délice de chaque endroit de ton corps où mes lèvres ont déposé la fleur de mes baisers mais je ne me souviens pas s'il y a des notaires dans ton pays. Maryitsa chérie, comment as-tu pu, un soir de juin, offrir ton corps à un notaire? Ce sont des gens qui ne sont pas beaux parce que leurs yeux s'ennuient à contempler l'argent. Ils n'ont pas de beaux corps parce que toute leur vie ils se sont penchés sur l'argent à additionner, ils ne savent pas aimer parce qu'ils ne voient que des gens préoccupés de compter. Maryitsa chérie, toute ma vie j'ai été condamné à être ce que je déteste le plus au monde: un notaire, un homme qui ne parle pas fort, qui ne rit pas fort, qui marche lentement pour ne pas faire s'envoler des liasses de billets comptés avec ferveur. Toute ma vie, j'ai été lié à l'argent comme à une femme qu'un homme n'aime pas. Malheureux, je l'ai tant été dans ma vie que je ne puis l'être dans l'éternité. Dieu est juste, il me permettra de me rendre jusqu'à toi et de t'offrir, à la façon de tes ancêtres, les présents que j'apporterai avec moi dans mon cercueil. »

La Veuve des Postes écrase cette lettre contre sa poitrine:

— Depuis des mois, la petite putain de Maryitsa ne donnait pas signe de vie et moi, je voyais le Notaire dépérir. Alors, moi, j'ai décidé de répondre au Notaire, moi-même. L'écriture de Maryitsa, je la connaissais aussi bien que la mienne. J'aurais pu... Ma lettre écrite, j'ai signé Maryitsa, mais il était trop tard... le Notaire était mort dans la nuit...

Elle serre la lettre du Notaire comme si elle tenait un enfant:

— Dors, mon enfant chérie, dit-elle, bécotant la lettre.

L'hiver continue. Comme le temps. La neige se reflète dans la lumière du ciel et lui confère une tranquillité éternelle. De temps à autre, une voiture passe dans la rue grise où s'accrochent des lambeaux de glace. Souvent gronde au loin dans les champs un skidoo embourbé. Les villageois se hâtent, d'une maison à l'autre, courbés sous le vent, le visage caché dans la fourrure de leur collet. L'on voit surtout des femmes. Les hommes sont partis chercher l'argent dans les forêts. Les jours se suivent à pas lents; les villageois lentement les accompagnent. Parfois ils lèvent la tête et il leur semble que le soleil est trop éloigné et que la terre est trop lourde de glace et de neige.

Parfois les hommes essaient d'évaluer la quantité de neige contenue dans le ciel: il en tombe chaque hiver depuis des siècles, il en tombera chaque hiver à venir pendant des siècles encore et c'est une mer de neige qui déferle du ciel chaque hiver et qui noie la terre entière — sauf quelques pays chauds pour les riches...

— Si l' bon Yieu nous aimait, I' nous enverrait pas de la neige à pelletée, mais de l'or...

Quelqu'un toujours répond:

— C'est peut-être parce qu'I' nous aime qu'I' nous envoie d' la neige et pas d'or.

Sur la neige blanche de la mémoire dérive alors une Cadillac blanche, muette comme le vent qui passe. Et s'éveille l'image de Monsieur Bourdage à l'Auberge. Les vents d'hiver n'ont pas chassé les paroles que cet homme a semées à l'Auberge, le froid n'a pas gelé le ruisseau des rêves:

— I' paraîtrait que si on creuserait la terre, en dessous de nos pieds, on trouverait autant d'or que de neige.

— Si c'était vrai, on le saurait.

— On a toujours creusé la terre juste assez creux pour trouver notre pitance et enterrer nos morts. On n'a jamais creusé assez creux pour trouver notre rêve.

Cette nuit, un coup de feu a heurté le silence; le bruit sec de la glace qui se casse. Il n'y a pas eu d'écho. Un craquement comme la pierre que fend le froid. Les gens ne parlent que de cette tache de sang dans la neige qu'ils sont allés regarder, du sang en glace qu'ils ont pu toucher et qui, en fondant a laissé une couleur rouge sous les ongles; ils ne parlent que de la forme de ce corps d'homme imprimée dans la neige, que de cette famille habitant une maison de bois, là-haut, jamais peinte: les Constantin Généreux. Les mêmes paroles partout dans le village planent dans la fumée de tabac, les mêmes histoires circulent dans les vapeurs chaudes des chaudrons où bouillonnent la viande et le chou, les mêmes condamnations sont proférées d'une maison à l'autre:

— L'argent gagné malhonnêtement finit toujours par se venger.

Le soleil brille avec flamme mais la bise griffe l'air. L'hiver règnera longtemps encore. Certains retournent regarder la tache de sang; ils constatent qu'elle s'est agrandie:

— La même chose arrive quand c'est du sang de cochon. C'est dans le caractère du sang de s'étendre indéfiniment.

— Tout le monde mange du cochon mais du Constantin Généreux, ça serait un peu coriace.

— Constantin Généreux a pu vivre une vie sans gagner un sou honnêtement.

— Si que'qu'un dans le pays a déjà vu une seule fois Constantin Généreux travailler, j' voudrais ben entendre raconter cette histoire-là.

— L' bon Dieu est juste: quand I' donne de la paresse à un homme, I' oublie pas de lui donner la même quantité d'intelligence.

Il est vrai que sans jamais travailler, Constantin Généreux a réussi à rendre sa famille aussi heureuse que celles dont le père se tuait à la tâche; leur table était aussi bien garnie que chez ceux dont le père s'usait à travailler. Comme l'hiver laisse des rides sur les chemins, le temps laisse des traces sur les visages, mais Constantin Généreux conserve le visage intact de la jeunesse. Les nuits de grands vents, les bourrasques étreignent les maisons; celle de Constantin Généreux ne se plaint pas plus que celle des gens épuisés par le travail. Sur la colline, il sort de sa cheminée autant de fumée que de n'importe quelle autre cheminée.

— C'est-i' de l'intelligence? C'est-i' de la chance?

— Y a ben des fois que la méchanceté ressemble à de l'intelligence ou ben à la chance.

— En tout cas, au boutte, y a toujours la mort, dit un homme en regardant ses ongles rougis.

— Quand y a un coup de fusil pour mettre le point final à une histoire, on est prévenu que c'est pas l'histoire de la Sainte Viarge et du p'tit Jésus.

— J' prétends pas que c'est Constantin Généreux

qui a tiré le coup de fusil. Tirer su' le chien d'un fusil, ça demande un effort. Constantin est ben paresseux...

Dans cet hiver où l'on est si loin, où l'on est si seuls, et où, à force de s'inquiéter de cet horizon trop rigidement blanc, l'on finit par aimer les hommes dans leur laine et leur fourrure, le rire, faisant écho à des rires du temps passé, éveille des histoires de la vie aventureuse de Constantin Généreux. Ces histoires s'épanouissent dans la bouche amusée des parleurs, elles recouvrent doucement d'une frondaison de rires la tragique fleur de sang figée dans la neige.

Chou Racine raconte. Un matin, il monte dans sa voiture. Qu'est-ce qui se passe? Son siège est plus bas que d'habitude. Il a la sensation d'être assis par terre. Sa voiture lui semble basse aussi. Comme si elle s'était enfoncée dans la terre. Maudite boisson! Le remords lui serre la gorge. La veille, il a encore bu. L'alcool déréglera un jour ses sens, le médecin l'en a prévenu. Chou Racine fait tourner le moteur qui tousse un peu dans l'air d'automne. Vitesse arrière. Il embraie. La voiture recule péniblement avec le bruit d'une locomotive qui ne serait pas sur ses rails. Chou Racine saute de sa voiture, terrifié. Elle n'a plus de pneus. Elle repose sur les jantes. Pleurant de colère, les poings levés vers la croix de l'église, interrogeant les villageois l'un après l'autre avec l'air d'être décidé à les dépecer pour lire au fond de leur conscience s'ils ont volé ses pneus, Chou Racine se rend au garage de Gros-Douillette. Gros-Douillette était vivant dans ce temps-là et il était garagiste.

— M'arracher les quatre pneus de ma voiture c'est comme me voler mes propres pieds.

— Tu tombes en plein dans le mille, annonce Gros-Douillette après avoir écouté le récit du drame de Chou Racine: j'ai justement icitte quatre pneus presque neufs que j' peux te laisser à un prix d'ami. Presque neufs.

Chou Racine les achète, paie en billets. Quelques heures plus tard, il est aux confins de la paroisse, dans une route qui est presque un chemin d'animaux, occupé à réparer un ponceau que les eaux de la pluie ont arraché. Une voiture de la police provinciale s'approche. Chou Racine lui fait signe de s'arrêter à cause de la tranchée qui traverse la route. La voiture s'est déjà immobilisée. Du nuage de poussière soulevée, Chou Racine voit sortir un officier, l'arme au poing braquée sur lui. De l'autre main, le policier installe un cric sous la voiture du Chou:

— Qu'est-cé que c'est ça?

— Farme-toé.

L'officier retire les quatre pneus, l'arme toujours braquée sur Chou Racine et il les lance dans le coffre de la voiture provinciale:

— Dis-moé qu'est-cé qui s' passe icitte.

— Farme-toé.

La voiture de la police provinciale repart en jetant sur Chou Racine poussière et cailloux. Pleurant, blasphémant, les poings levés contre le ciel, Chou Racine rentre à pied au village.

Chaque fois que quelque chose était volé au village, ou dans le canton, Constantin Généreux était toujours soupçonné. On prouva qu'il avait volé les pneus de la voiture du Chou Racine pour les revendre à Gros-Douillette. Constantin Généreux jura sur la tête de ses enfants qu'il avait reçu ces pneus en cadeau d'une veuve au grand coeur qui voulait soulager la misère des pauvres enfants Généreux. Cette veuve charitable lui avait fait jurer de ne jamais chuchoter même son nom.

— Heureusement, dit Constantin Généreux, qu'il y a de ce genre de monde pour soulager la misère des pauvres.

La police provinciale entreprit une enquête: toutes les veuves de la région jurèrent qu'elles n'avaient jamais fait de cadeau à ce petit homme qui essayait toujours de s'infiltrer sous leurs jupes. Alors Constantin Généreux avoua qu'il avait acheté à très bas prix les pneus d'un jeune homme poli qui ressemblait beaucoup à un fils du député du comté...

— De toute sa vie, i' a jamais dit une vérité.

— Une vie semblable devait finir en coup de fusil!

Joseph-la-main-coupée a aussi une histoire à raconter. Un jour, en pleine lumière du midi, éclate dans son poulailler un chahut d'ailes terrifiées et de caquetages désespérés. Était-ce la fin du monde chez les poules? Joseph-la-main-coupée ramasse son fusil et il court au poulailler, sur le lieu du saccage. Il n'aperçoit pas un loup, ni un raton laveur, ni un renard, mais Constantin Généreux penché sur un tas de poules aux plumes frémissantes. Il choisit les plus dodues.

— Ôte-toé de d'dans mes poules, mon Christ!

Constantin Généreux lève la tête mais il ne paraît pas étonné d'être surpris sur le fait puisqu'il continue attentivement son inspection des plus belles poules.

— Sors de d'dans mes poules ou ben j' t'assomme!

Constantin Généreux relève les yeux vers Joseph-la-main-coupée:

— T'as entendu c' que l' Curé a dit dans l'église en pleine messe, dimanche passé? I' a dit que ma femme est une poule...

— Va-t'en, mon Christ!

— J' sus trop pauvre pour être le maître d'une poule qui soye à moé. Si j' veux savoir de quoi ç'a l'air une poule, faut ben que j'aille regarder chez le monde qui en ont.

— Mon Christ, menace Joseph-la-main-coupée, j' vas t'assommer parce qu'avec juste une main j' peux pas t'étrangler!

— Tu parles ben durement, Joseph, à un homme qui est pauvre et qui est marié à une poule.

Constantin Généreux tient par le cou, à la hauteur de ses yeux une poule qui caquète à rendre l'âme, il l'examine avec attention et, délicatement, il la dépose par terre.

— Si j' te r'vois la face dans mon poulailler, j' te crucifie!

— On voit ben Joseph que t'es marié à une femme, toé; moé, ma femme est une poule.

Constantin Généreux va pleurer. Joseph-la-main-coupée regrette d'avoir crié un peu fort. Constantin sort de l'enclos avec l'air de porter dans son ventre toute la faim du monde. Il est plié. Il avance avec peine. Joseph compte ses poules; il en manque deux. Constantin Généreux a apporté dans son manteau deux poules qu'il a eu le temps d'égorger.

— Le coup de fusil, y a longtemps qu'i' se préparait...

Tristesse Lachance, comme les autres, est incapable d'éprouver une colère, même légère, à l'égard de Constantin Généreux: il ne réussit pas à croire à tant de méchanceté. Il raconte comment il a été dupé par Constantin Généreux avec l'air de débiter une histoire à laquelle il ne croit pas. C'était pendant l'hiver. Tristesse Lachance voit apparaître dans sa cuisine Constantin Généreux qui est entré sans frapper. Ce jour-là, on entend gronder le vent mais il y a du bon feu qui chante dans la cuisinière au bois. Constantin a les mains rouges, mordues par les crocs du froid, son trop vaste manteau mal boutonné est couvert de taches de neige comme s'il était tombé plusieurs fois. Avec à peine assez de souffle pour être entendu, il demande:

— Voulez-vous m'aider? J' sus pus capable.

Tristesse Lachance l'emmène près du feu. Pendant qu'il tient faiblement les mains au-dessus du feu, Tristesse lui prépare un brandy avec quelques gouttes de lait. Peu à peu, la neige fond sur ses épaules, ses mains oublient les crocs du froid et il retrouve l'usage de la parole. Constantin Généreux a besoin des secours d'une personne charitable. Ses enfants pleurent dans sa maison, sa femme l'a poussé dans la tempête après l'avoir humilié de toutes les insultes et lui avoir souhaité la mort; sa femme n'a jamais pu comprendre à quel point il est malade, invalide presque. Le médecin lui a montré une photographie de son coeur: ça ressemble à une patate mangée par les insectes. Il a le coeur, les reins et les poumons d'un homme de quatre-vingt-dix ans, « quatre-vingt-dix ans usé »; mais sa femme ne le croit pas, elle le maltraite. Sa dernière bûche brûle dans son poêle; après cette bûche, il ne reste pour réchauffer la maison que les tisons; puis il ne restera que la cendre chaude, puis la cendre froide. Les enfants pleurent, sa femme lui a souhaité de mourir dehors. Constantin est un homme si malade. Comment pourrait-il aller couper du bois? Il ne peut plus demander à son coeur que de faibles battements qui gardent un homme en vie mais qui l'empêchent de vivre comme un homme. Tout effort lui est interdit. Travailler, ce serait écraser son coeur comme on écrase une fraise des champs en mettant le talon dessus. Oh! il ne veut pas l'aumône! Mais comment pourrait-il couper son bois?

— As-tu du bois, au moins, s'enquiert Tristesse Lachance.

— J'ai que'ques billes de bois, mais c' qui manque, c'est la force pour les scier. Mais puisqu'i' faut choisir entre la mort et le gel de mes enfants, j' vas leur couper du bois pour que mes pauvres enfants puissent vivre jusqu'au printemps. Heureusement, y a une personne charitable qui me fournit le bois. J' la r'mercierai jusqu'à la fin de mes jours. J' voudrais vivre plusse longtemps pour la remercier plusse longtemps. J'ai le bois, c' qui manque, c'est la santé, la force.

La bonté inonde l'âme de Tristesse Lachance. Il voudrait en contenir le flot qu'il ne pourrait pas. Il endosse ses chandails, sa chemise rouge à carreaux, son casque de cuir aux oreilles de fourrure et prend sa tronçonneuse mécanique. À l'arrière de la petite maison de Constantin Généreux est empilé un tas de vieux bois de clôture: plusieurs piquets et plusieurs perches. La tronçonneuse pénètre dans ce bois séché par tant d'étés, avec un plaisir grinçant. C'est du cèdre, le feu s'y attaquera avec beaucoup d'appétit. Cette tâche est si facile que Tristesse Lachance décide de couper en tronçons le tas entier de bois de clôture. Ce bois, il aurait aimé l'acheter pour l'utiliser sur sa terre, mais il a pensé que Constantin Généreux et ses enfants ont plus besoin de bois que de dollars. Il coupe. Coupe. Avec la joie de celui qui est utile à un homme. Une joie chrétienne. Les Généreux auront du feu pour l'hiver. Constantin ne trouve pas les mots pour exprimer sa reconnaissance. Il promet que si, par miracle, Dieu renouvelle son coeur et son sang malades, il travaillera un été complet, sans salaire, pour Tristesse Lachance qui reprend sa tronçonneuse et revient chez lui l'âme heureuse. L'hiver se continue. Parfois Tristesse Lachance s'arrête pour contempler la fumée blanche qui sort de la cheminée des Généreux; alors il se sent bon et sa fierté devient aussi grande que sa bonté: le feu qui réchauffe cette pauvre maison vient de son bon coeur. L'hiver disparaît lentement ainsi qu'un oiseau qui n'en finit pas de s'éloigner dans le ciel. Et c'est le printemps. Quand les terres sont séchées au début de l'été, comme il le fait tous les ans et comme son père faisait avant lui, Tristesse Lachance parcourt sa terre de haut en bas, jusqu'au bout. Mais le bout, où est-il? Il reconnaît les épinettes noires, les pierres, les buttes et les taillis mais il ne retrouve pas la limite de son terrain: la clôture est disparue.

— Une clôture, ça saute pas la clôture comme un joual. Iousqu'est ma clôture?

Tout à coup il pense à une fumée douce et blanche là-haut, au bout de la cheminée des Généreux, il pense à ce cèdre sec, ce bois de clôture qu'il a débité avec tant de bonté pour réchauffer l'hiver des Généreux.

— Du vol au coup de fusil, dit un parleur, c'est le même chemin, comme a dit le poète.

— Quel poète?

Fred Bouffard a vu toutes les maisons du pays, il a mis le pied, les deux pieds et le reste dans toutes les maisons du pays pour vendre des polices d'assurance qui rendraient riches toutes les veuves et tous ceux qui auraient le malheur de se couper un bras ou une jambe. Fred Bouffard dit un jour à Constantin Généreux:

— Mon Constantin, t'as une femme, des enfants, une petite maison; t'as aussi le droit d'avoir un avenir. Un avenir après ta mort. Un avenir qui va profiter à ta femme et à tes enfants qui ont pas d'avenir parce que leur père a pas d'avenir. I' faudrait pas partir sans leu' donner un avenir. J' pourrais aller t' vendre un avenir. Y a des milliers de piasses dans les banques qui attendent.

— Qui attendent que j' soye mort...

— Aimerais-tu mieux qu'après ta mort, personne s'occupe de ta femme et des enfants que t'auras mis au monde sans avenir? Aimerais-tu mieux que ta femme et tes enfants crèvent de faim après ta mort parce que leu' père leu'-z-aura pas acheté un avenir?

— Si tu m' le vends pas trop cher, ton avenir, j' vas te l'acheter. Viens à soir chez nous à la maison.

Fred Bouffard s'amène. Madame Constantin Généreux l'attend derrière la porte de moustiquaire qu'elle ouvre devant lui. Il entre. Tenant la porte ouverte de son bras tendu, elle obstrue l'embrasure et il ne peut éviter que son épaule ne frôle sa poitrine qu'il a sentie bouillante.

— Vot' mari est-i' là?

Sur sa grosse poitrine qui tend le coton de sa blouse, elle ajuste le plissé:

— I' va être encore en retard. Être en retard, c'est la seule chose qu'i' sait faire dans la vie. Pis moé, j' sus une femme qui attend... Ah! y a une tache su' ma blouse!

Du bout de l'ongle, elle gratte le coton sur un sein que Fred Bouffard imagine dur comme du bois...

— J' sus toute sale! On est pauvres mais on aime la propreté!

D'un geste subit, elle a déboutonné sa blouse et ses seins bondissent. Fred Bouffard n'a plus de jambes:

— J' vas m'en aller...

Avant d'avoir fait un pas, deux bras l'écrasent contre un corps bouillant et haletant. C'est dans une flamme vertigineuse qu'est tombé Fred Bouffard. Est-ce l'enfer? Est-ce le ciel? Il voudrait dire: « J' veux m'en aller! » mais il n'a plus de voix. La Constantin Généreux se laisse porter sur lui. Il s'écroule sur elle. Tout à coup, quelque chose de froid le frappe au menton. Il ouvre les yeux. Le canon noir d'une carabine. Constantin Généreux est prêt à presser la gâchette; il menace:

— J' sus en état de légitime défense! La loi me permet de tuer. Fred Bouffard, tu veux me prendre ma femme, la seule richesse que l' bon Dieu m'a donnée. Maudit Bouffard! Tu veux me voler ma femme! J' vas t' tuer!

La Constantin Généreux s'arrache de sous Fred Bouffard qui est paralysé et frissonne:

— C'est une affaire d'honneur. Les pauvres ont leur honneur! On a seulement de l'honneur! Tu peux essayer d' me voler ma créature, mais tu m' voleras pas mon honneur! Penses-tu que moé, un pauvre, j' vas pouvoir passer la tête haute dans le village après que ma femme a été humiliée par toé?

Fred Bouffard essaie de protester; dès la première syllabe soupirée, le canon de la carabine lui cloue la tête sur le plancher.

— Toé non plus, Fred Bouffard, tu pourras pas marcher la tête haute dans le village après avoir fait à Madame Constantin Généreux, malgré son consentement, des attouchements érotiques et après avoir entrepris de perpétrer un viol...

Constantin Généreux utilise le vocabulaire de son

cher *Allo Police* dont il lit religieusement chaque dimanche les chroniques qui racontent avec un lyrisme toujours renouvelé les crimes de la semaine.

— Ta tête, Fred Bouffard, j' vas la baisser à la hauteur de tes pieds!

Le canon de la carabine pèse un peu plus lourd encore sur le menton de Fred Bouffard:

— J' vas raconter ton viol dans tout le pays; ça va promouvoir tes affaires. Les maris vont avoir confiance en toé!

— J' vas te payer. Fixe-moé un prix.

— Y a pas de prix pour le viol de la femme d'un pauvre malade. Ça va te coûter cher! Tu vas payer cher, mon Fred!

Fred paya jusqu'à la mort.

— L'argent, dit un fumeur, c'est toujours maudit.

— Constantin Généreux a toujours réussi à en gagner d'une manière ben plus maudite encore!

Plusieurs fois, Constantin Généreux se cacha avec sa carabine derrière la même tenture qui obstruait la porte d'une chambre au rez-de-chaussée; plusieurs fois, sa femme soudainement dévoila sa poitrine en se jetant au cou d'un homme qui venait porter une lettre, un colis, ou vendre quelque chose. Plusieurs fois, il vendit son silence à ces hommes qui craignaient le scandale et leurs femmes.

Cet homme qui avait utilisé sa femme en appât décida d'utiliser ses filles quand elles cessèrent d'être des enfants. Les filles semblaient avoir été faites par un ange amoureux à une diablesse passionnée! Leurs yeux connaissaient la grâce et le péché! Constantin Généreux se trouva un soir seul avec ses trois filles. La mère avait signé un contrat avec le Gouvernement: elle irait enseigner le catéchisme et la géographie à des petits sauvages en Gaspésie. Au village, l'on savait que la Constantin Généreux savait un peu lire, mais surtout pas dans un catéchisme! L'on fut donc étonné que le Gouvernement l'ait choisie pour enseigner le catéchisme et la géographie aux petits sauvages de la Gaspésie. « Heureusement que c'est à des p'tits sauvages! » Personne au village ne pouvait connaître qu'un fonctionnaire du Ministère de la Colonisation avait essayé de violer Madame Généreux. Heureusement, Constantin n'était pas arrivé trop tard pour sauver l'honneur de sa femme. Le fonctionnaire avait accepté de payer sa faute et Madame Généreux était partie pour civiliser catholiquement les petits sauvages de la Gaspésie.

— Mes filles, dit Constantin Généreux, on est toutes seuls. C'est la premiére fois de votre vie que vous êtes privées de vot' mére. On va être toutes seuls pour plusieurs mois. J'aime pas ben gros que des belles filles comme vous se r'trouvent sans mére parce qu'une belle fille a besoin de sa mére aussi longtemps qu'elle a pas faite une belle fille elle-même. Vot' mére est partie chez les sauvages de la Gaspésie parce que c'est une Sainte. Vous êtes allées à l'école, vous avez appris j'espère qu'une Sainte a toujours une souffrance, une plaie: la plaie de vot' sainte mére, c'est moé: toujours faible, toujours malade, pas capable de travailler, pas capable d' me pencher la colonne vertébrale même pour ramasser une boule d'or si y en avait une là, devant moé. Moé, j'aurais voulu vous élever comme des princesses, mais j' sus un homme malade, un homme faible, un homme vieilli avant l'âge, j' sus comme le docteur l'a dit « un souffle entre la jeunesse et la vieillesse ». Vot' sainte mére est partie au loin pour qu'on ait du pain su' a table pendant l'hiver. L' bon Dieu a voulu faire de moé un homme malade, j'accepte la malédiction. J' sus malade. Mais j' sus pas aveugle! J'ai ben vu de mes propres yeux qui sont bons que les garçons viennent tournailler, sentir, fureter autour de la maison comme les abeilles autour des fleurs. J'ai même vu avec les mêmes yeux qui sont bons que, quand les garçons s'approchent dans leurs voitures ou su' leurs motos, comme les fleurs, vous devenez encore plus belles... C'est normal, c'est naturel, c'est le bon Dieu qui a pensé à faire la vie comme ça. Vous êtes belles, mes filles, de belles fleurs comme vous, c'est un cadeau du bon Dieu. Pour mériter autant de beauté autour de la table, j' pense qu' i' faut faire le sacrifice de sa santé... Dieu doit avoir dit dans son ciel: « Constantin, veux-tu être un pére avec une santé de bois d'érable mais avoir des filles laides comme des poux ou ben veux-tu être un pére chétif, feluette, malade mais mettre au monde des filles belles comme le jour? » Pis moé, su' a terre, dans ma petite maison de bois, j' dois avoir répondu au bon Dieu: « Envoyez-moé des filles belles comme le jour; elles seront la consolation et la richesse d'un homme malade, souffrant et incapable. » Si on possède une si belle richesse, on veut pas la pardre. Vous êtes jeunes, vous connaissez pas encore les dangers de la vie. Pour que j' puisse veiller à votre éducation, j' vas vous demander de pas aller courir au diable vert. Comme des fleurs, vous allez rester là où vous avez poussé. Les abeilles vont venir jusqu'icitte. Attendez-les icitte.

Les trois filles ont écouté sans gratter la croûte du pain, sans boire leur verre de lait, sans pignocher dans leurs assiettes; quelques taloches dans l'enfance leur avaient appris qu'il valait mieux écouter la voix vacillante de leur père.

— C'est vrai que not' maison est ben p'tite. Dieu m'a pas donné une santé assez forte pour que j' puisse m'enrichir et acheter une grande maison. Des fois, un garçon et une fille ont envie de se chuchoter des mots doux dans l'oreille... La maison est ben p'tite, mais mes filles ont autant droit que n'importe qui de se faire chuchoter de p'tits mots doux dans l'oreille... Elles ont plus le droit parce qu'elles sont plus belles... Y a deux chambres que vous avez déjà; j' vas vous donner la mienne: trois chambres, vous aurez chacune une chambre. Moé, j' sus prêt à dormir sous la table de cuisine. Dites pas: non! J' le ferai par amour pour vous. Les garçons vont venir, quand vous aurez envie de vous faire chatouiller les oreilles avec des p'tits mots d'amour, vous irez dans vos chambres. Comme ça, vous serez toutes avec moé, j' pourrai surveiller mes fleurs et les abeilles qui viendront butiner. J' pourrai surveiller votre éducation.

Le soir, les garçons viennent, comme d'habitude, tournoyer en motocyclettes, ils font gronder les moteurs, ils soulèvent la poussière; les uns ralentissent en passant devant la maison de bois, les autres accélèrent, et tous crient des mots qui font rougir les filles Généreux, en robes colorées, assises sagement dans la balançoire. Elles répondent par des rires ou elles agitent la main. À la vérité, les garçons craignent un peu ce petit homme méchant qu'est le père de ces belles filles. La ruse et les méfaits de ce petit homme ont été racontés tant de fois mais la beauté des filles, leurs rires et leurs poitrines rondes effacent les fautes de leur père. Les filles quittent la balançoire et s'appuient sur la clôture de la route. Les garçons s'arrêtent. Ils parlent. Ils rient. Quand la nuit se fait noire, les filles les invitent à entrer. Ils sont surpris de trouver si propre, même gaie, cette petite maison à l'extérieur si triste. Constantin Généreux est sorti. Les garçons n'ont plus de ces gros rires qui se propageaient dans l'air comme des meuglements de boeufs heureux. Ils parlent maintenant avec une certaine douceur: avec une certaine musique dans la voix. Bientôt, ils ont envie de chuchoter des secrets. Les filles tendent leurs petites oreilles cachées sous les boucles. La barbe des garçons s'accroche dans leurs cheveux. Leurs chuchotements parfois font éclater de grands rires. Les garçons alors ne rient pas. La plus jeune dit:

— On s'rait plus à l'aise pour parler dans ma chambre...

Les garçons sortent très tard des chambres des filles. Le soleil s'est levé avant le départ du dernier.

Constantin attend dans la cuisine, assis à la table. Muet, il tend la main. Elles ne comprennent pas. Il se tait et garde la main tendue. Elles se regardent et ne comprennent pas.

— Qu'est-cé que tu veux? dit la plus jeune.

En guise de réponse, il tend encore la main. Les filles, devant la main tendue, n'osent ni parler ni bouger. Tout à coup, toute la colère du monde explose dans sa bouche:

— L'argent! hurle-t-il.

Les filles se regardent sans comprendre.

— Quel argent?

Constantin Généreux tient sa main tendue; il parle sans crier, cette fois, de sa petite voix habituelle:

— Comment? Ces garçons-là ont passé la nuit dans votre chambre et i' ont pas assez d'honneur pour payer le dû de leu' pension?

Il ramène sa main tendue. Sa voix est enveloppée de tendresse:

— Ces garçons-là vous doivent que'que chose...

La voix est pleine de bonté. Les filles aiment leur père.

— Vous valez plus cher que ce que ces garçons-là pensent...

Les garçons reviennent. Le lendemain matin, Constantin Généreux, assis à la table de cuisine, tend encore la main. Les filles sont fières d'y déposer quelques billets. Il les divise en trois sur la nappe:

— J' prends ma part, parce que j' sus vot' pére. J' prends une part pour vot' sainte mére: vous lui devez que'que chose vu qu'elle vous a faites comme vous l'êtes, belles, et si bien élevées. Un jour, elle va être vieille, elle pourra pus aller en Gaspésie, chez les sauvages, pour gagner son pain et elle a marié un homme ben malade qui peut pas la faire vivre comme elle le mériterait. La troisième part, c'est pour vous autres. J' vas la mettre à la banque et quand vous allez vouloir vous marier, j' pourrai vous donner des dots comme un pére respectable.

Les garçons n'attendent pas le soir pour revenir.

Dès l'après-midi, des voitures et des motos sont garées devant la petite maison triste. Les garçons amènent leurs amis et bientôt les filles ne sortent plus de leurs chambres. Constantin Généreux lui-même, à la porte de sa maison, veille au bon ordre.

Parfois, sa femme écrit de Gaspésie. Il dicte sa réponse à la plus jeune, celle qui a la plus belle main d'écriture:

— Ma bien chère épouse, nous avons les meilleures filles du monde et ces enfants-là vont nous aider à avoir une belle vieillesse heureuse...

Un matin, c'est déjà novembre, Constantin Généreux dit:

— Les filles, vous êtes jeunes, i' faut jouir des belles choses que le bon Dieu a créées. I' faut en jouir pendant la jeunesse. Après la jeunesse, on devient comme moé: malade, triste, faible... Le soleil d'été en plein hiver, ça doit être une des belles choses de la vie. Si vous voulez, j' vas vous envoyer en Floride après Noël. Tout c' que j' vous demande, c'est que vous m'aidiez un peu.

En cette journée même, Constantin Généreux constate une augmentation de revenus. Sa meilleure transaction est sans doute celle qu'il conclut avec Auguste Albert:

— Combien que ça me coûterait pour rester dans la chambre toute l'après-midi, toute la soirée pis toute la nuitte?

— Avec laquelle?

— Avec vot' plus vieille.

— C'est la première fois. On m'a jamais demandé ça.

Le visage d'Auguste Albert s'éclaire de joie: « C'est la première fois! » Cette lueur n'échappe pas à Constantin Généreux:

— Ça serait une honneur que ma plus vieille te ferait! Comment c'est que tu gagnes dans une semaine? J'espère que tu gagnes plusse qu'un pauvre père malade et incapable de travailler.

Auguste Albert ouvre son portefeuille, en tire un chèque et le lance sur la nappe. Constantin lit soigneusement tous les chiffres inscrits:

— Endosse-lé; j' vas le prendre. Oublie pas que ma fille te fait une faveur et une honneur.

Auguste Albert passe l'après-midi dans la chambre de l'aînée, toute la soirée et la nuit. Avant le réveil de Constantin, il s'en va, emmenant avec lui la plus âgée des filles. À l'aube, ils frappent à la porte du Curé qui les confesse et accepte de les marier pour leur éviter le péché mortel de vivre ensemble sans sa bénédiction. Dans la première lueur du jour, Auguste Albert fait gronder le moteur de sa décapotable cabossée qui s'élance comme un cheval fou. Au retour de leur voyage de noces, ils s'établissent dans la maison de la mère d'Auguste Albert, une vieille femme seule qui dit à la jeune mariée:

— Mon garçon, s'i' m'avait demandé conseil, j' lui aurais dit de chercher une femme ailleurs: j'aurais pas voulu que mes p'tits enfants aient du sang venimeux des Constantin Généreux. Mais mon garçon est marié avec toé. J' vous donne toute la place. Laissez-moé juste assez de place pour rendre mon dernier soupir. J' cède la place, ma belle enfant, mais essaie pas d' m'enterrer tout de suite.

La nuit s'empare du jour bien avant le souper. Auguste Albert mange sa soupe. C'est la première qu'a faite sa femme, avec des légumes conservés du jardin de la mère d'Auguste. La porte s'ouvre sans qu'on ait frappé:

— Bonsoir mes enfants! C'est votre pére, moé, Constantin Généreux!

Auguste continue d'aspirer sa soupe. Sa femme s'affaire aux casseroles sur la cuisinière pour tourner le dos à son père.

— Venez fumer, beau-père, dit Augustin quand il a fini sa soupe.

Constantin Généreux se tient debout devant la

porte qu'il ne referme pas: il a osé entrer, il n'ose avancer:

— Ma fille, quand ta vieille belle-mére va commencer à agoniser dans tes bras, pis quand lui, ton homme, va entreprendre de te bourrer d'enfants, si tu veux r'venir dans ta maison, la porte sera ouverte. Comme si rien s'était passé. Mais crains la punition du bon Dieu pour avoir abandonné un pére qui a le malheur d'être faible et pauvre.

Il sort sans refermer la porte. L'air froid qui est entré fume dans la cuisine. La femme d'Auguste pense qu'encore une fois, ce sera l'hiver inévitable.

Les garçons continuent de venir chez Constantin Généreux mais la chambre vide de l'aînée le rend triste. Dans une famille, chacun doit collaborer à la vie commune; si un seul membre refuse d'aider, toute la famille en est punie.

Décembre: les épaules blanchies par la première neige, Constantin arrive chez Auguste Albert. Cette fois, le gendre cesse d'aspirer sa soupe et il ne l'invite pas à fumer.

— Ma fille, tes soeurs vont partir après Noël pour le soleil de Floride. Pendant que toé, tu vas voir la terre se changer en glace, tes soeurs vont voir l'été. Y aura toujours une place pour toé dans le voyage.

Et Constantin glisse dans la nuit comme un coup de vent. La femme d'Auguste referme la porte:

— Si j' peux pas aller en Floride avec mes soeurs, j' pourrai peut-être y aller avec mon homme...

— Avec moé! sursaute Auguste; y a mon char à payer, pis i' faut que je l' fasse peinturer, pis mon muffler est tout rouillé, pis i' faut que j' m'achète des *tires*, pis i' faut que j' remplace le windchire. Quand j'aurai toute faite ça, le char va être prêt mais j' pourrai pas partir pour la Floride, i' nous restera pus d'argent.

Dans la semaine de Noël, Auguste décide qu'il peut acheter des pneus à crampons. À son retour du garage, sa femme n'est pas à la maison. Sa vieille mère a vu la bru se préparer à sortir mais elle n'a pas osé demander où elle allait. La vieille femme prépare le souper car la bru n'est pas rentrée. Le fils mange sans parler. Il quitte la table sans boire son thé.

— J' sais iousqu'elle est.

La neige est déjà épaisse pour cette époque de l'hiver; elle a été lissée par les vents. Auguste la sent sous ses pieds aussi rêche que de la terre. L'air pince ses narines et il lui semble que ses lèvres au froid deviennent épaisses. La nuit sera froide: une des plus froides de l'année. Une gelée semblable, d'habitude, on ne connaît ça qu'en février. Sur la colline, une lumière jaune marque les fenêtres de la maison de Constantin Généreux. Auguste accélère son pas. Devant la porte, il s'empêche de frapper pour la pousser d'un coup de pied. Sur le seuil, il se retient d'entrer; il entend ses lèvres épaissies par le froid crier:

— J' veux ma femme!

— Viens la charcher!

— Tu vas me r'donner ta fille; c'est ma femme!

— Viens la charcher!

— Ma femme, rugit Auguste Albert, si tu m'aimes, viens-t'en!... M'aimes-tu?

En réponse, il entend une sorte de grondement lointain, comme un coup de tonnerre, en Floride, mais qu'il peut entendre, lui, dans la neige froide de l'hiver.

Constantin Généreux a fait feu et le coup a arraché le visage de son gendre.

— Y a des vies, dit un des fumeurs, qui préparent leur malheur pendant des années et des années.

— Y a des gens qui possèdent pas d'autre chose que leur malheur...

Au milieu de l'hiver, les paroles entretiennent la chaleur de la vie. Le souffle des paroles essaie de chasser le souffle des vents. Si l'on se taisait, l'on apercevrait peut-être ces vieux navires, qui hantent le tréfonds des mémoires, glisser à l'horizon sur la houle des neiges; dans leurs voiles, la bise agite des souvenirs qui réveillent un peu la mort. L'on parle pour ne pas entendre. L'on parle pour repousser ce silence qui étreint à la gorge. Dans cette jungle étale aux silences enchevêtrés, aux coupantes lianes cachées dans la lumière, l'homme est un fauve triste qui ne sait que parler. Quand les pneus d'une voiture crient sur la glace des chemins, quand le moteur d'une motoneige vrombit dans un banc de neige, c'est l'homme qui rugit dans le grand désordre blanc et figé. L'hiver est une longue nuit qui néglige d'être noire. Feignant d'oublier que c'est la nuit, les hommes, avec des gestes somnambules, s'adonnent aux travaux habituels. Dans la grande tranquillité, un événement toujours ranime le sang figé comme la sève des arbres. Durant plus de deux jours, l'on oublie que novembre est si loin en arrière et l'on ne désire plus avril. Les hommes négligent leurs travaux et se réunissent dans les cuisines avec les femmes. Avec les mêmes gestes et les mêmes rires, ils reprennent sans cesse la même histoire: comme si, à force d'être racontés, les faits allaient se transformer et ressembler à ce à quoi on souhaite qu'ils ressemblent.

— Les zizis japonais! Les zizis japonais!

— On dit japonais, mais...

Mars. Ce n'est encore que neige sur les toits, dans les chemins et sur l'épaule des épinettes noires. Les zizis japonais sont arrivés, faudrait-il dire, à la manière des oiseaux du printemps! D'abord un premier zizi. L'on ne sait pas encore qu'il est japonais. C'est le premier: l'on examine, l'on s'étonne. Plus tard, en voici un autre: l'on regarde; il fait songer au premier que l'on a vu. Au troisième, l'on ne s'attarde guère:

l'on devine qu'ils seront nombreux. Et ils le seront, ces zizis japonais!

— Un homme qui a rien à faire et qui aime pas les roches peut ben imaginer qu'y a dans not' terre des pépites d'or, mais inventer des zizis!

— Des zizis japonais!

Le premier zizi japonais apparaît dans l'église, c'est-à-dire à l'Auberge du Bon Boire où ont lieu les célébrations religieuses depuis l'incendie de l'église. L'orgue électrique qui, la veille, a brodé des voiles de musique sur le corps d'une danseuse qui s'épluchait de ses vêtements, essaie d'accompagner d'harmonies pieuses le vol des anges qui tournoient autour de l'autel de Dieu. Le Curé explique que Dieu, une fois de plus, va mourir. L'orgue essaie de s'attrister et l'organiste rêve que la danseuse, ce soir aussi, va se déshabiller pour qu'il lui jette des voiles d'arpèges inspirés. Miss Catéchime est en extase. Tout à coup, elle s'évanouit: elle a aperçu le premier zizi japonais! Le bruit que fait son corps de pieuse jeune fille inerte en déboulant sur le prie-Dieu se répercute jusqu'au ciel. Le Curé ravale sa phrase en latin. Quatre paroissiens déjà se disputent autour du corps allongé de Miss Catéchime. Qui prendra les bras? Quel bras? Qui s'occupera des jambes? Quelle jambe? Miss Catéchime qui, dans le village est chargée de dévoiler aux enfants les mystères de la vie et de la religion, est amenée à l'extérieur de l'Auberge. Sous les doigts du Curé, les pages ont le poids du granite. Personne n'a le droit de mettre les mains sur Miss Catéchime. Dehors, le vent soulève la jupe et dévoile aux bienveillants porteurs des secrets auxquels doivent rêver ses élèves les plus éveillés. À la glace du vent sur son corps, elle ouvre les yeux. Effectuant des détours dans ses phrases comme si elle essayait de contourner la lune, avec des gestes qui semblent vouloir chasser tous les moustiques des étés futurs, elle décrit la dernière image qu'elle a vue avant de s'évanouir.

Elle revenait de la sainte table où elle avait reçu le pain de Dieu des mains mêmes du Curé, de ses mains bénies, ses belles mains qui ressemblent à celles des statues, ces belles mains douces habituées aux livres saints et à la prière: « La caresse est aussi une prière », avait-il dit un jour à Miss Catéchime, « mais cette vérité, il ne faut pas la disperser car tous n'ont pas les lumières pour la comprendre. » Il avait dit aussi: « Tu es la petite fille de Dieu aux mains si pieuses qu'elles changent en prières tout ce qu'elles touchent. » Miss Catéchime revenait donc de la sainte table, une parcelle du corps de Dieu dans sa bouche, les yeux clos. Quand elle a senti la présence chaleureuse de Dieu dans son ventre, vivant comme un petit enfant, elle a ouvert les yeux, elle a vu... et elle est tombée dans un précipice.

La bedaine des quatre porteurs gargouille de rires retenus mais leurs visages ont l'imperturbabilité des masques mortuaires. Miss Catéchime choisit ses mots, rejetant ceux qui sont vulgaires, ceux qui provoqueraient des sourires impudiques dans les yeux de ces honnêtes frères chrétiens, elle rejette les mots techniques et savants qu'ils ne pourraient pas comprendre:

— Ce que j'ai vu, c'était un sexe. Un membre. Un sexe du genre masculin. Un membre viril. Un sexe masculin qui n'était cependant pas de taille normale — pardon — habituelle — pardon — plus petit que ce qui est décrit dans les livres d'éducation sexuelle, parce que je n'en ai jamais vu, je ne suis pas mariée, moi...

— Demandez à Monsieur le Curé, lui, personnellement, i' en a pas un, mais i' pourra demander à un de ses fidèles paroissiens de se dévouer...

— De se sacrifier...

Les quatre chrétiens s'échangent de discrets coups de coude.

— J'ai vu un petit zizi pas plus gros que mon petit doigt...

Elle exhibe son petit doigt si fin, sans rides, taillé dans de l'ivoire avec l'ongle long et pointu comme les hommes en ont vu à de belles filles dans des magazines qu'ils cachent dans leurs voitures.

— Un petit membre viril qui serait celui d'un enfant, plutôt, mais je n'ai jamais vu de zizi enfantin, je ne suis pas mère et nous étions douze filles à la maison, mais ça devait être un zizi d'enfant avec son petit bout rouge; ç'a avait l'air d'un oisillon sans plumes, tout nu, tout faible et qui a froid et qui cherche son nid. J'ai eu peur et j'ai perdu connaissance.

— Pauvre Miss Catéchime, dit un des porteurs, si vous avez peur comme ça des petits oiseaux sans plumes, on n'osera jamais vous montrer de gros oiseaux avec des plumes!

Pour échapper au vent et aux porteurs, Miss Catéchime rentre à l'Auberge — à l'église — s'agenouiller. Elle lève les yeux vers le Curé à l'autel. L'encens, les prières et le latin lui donnent un sourire qui ressemble à celui de Dieu. Peut-être est-ce Dieu lui-même qu'elle aime tant? Le Curé se fait apporter la clef bénite pour ouvrir la petite porte du tabernacle. Selon le geste prescrit par la liturgie, il retient son souffle, il se penche pour effleurer la pierre sacrée devant le tabernacle. Mais un éclair violent le cloue dans cette posture: dans le tabernacle, sur le saint coussinet de dentelles, il a aperçu, au lieu de l'hostie de Dieu, un zizi japonais. Japonais? Il ne le sait pas encore. Ressemblant à une limace, à une cosse de fève, à un gougeon, à une petite carotte, à une petite souris malicieuse, il y a un sexe d'enfant dans le lieu interdit. Son coeur s'arrête de battre. Pendant quelques secondes, il bascule dans l'éternité.

Ce dimanche-là, Imelda Boucher la Couturière trouve un zizi japonais flottant dans sa tasse de thé. Une dame faisant la sieste en trouve un dans son lit. Une autre dame, mettant la main dans la poche de son manteau touche un objet, caillou ou bonbon: c'est dur;

elle le prend dans sa main pour voir; sa surprise est si grande que le zizi japonais bondit comme une sauterelle apeurée. L'on trouve, ce jour-là, un zizi japonais dans un journal replié, dans un tiroir de lingerie fine, on en trouve dans un chapeau et dans une fiole de comprimés. Dans les jours qui suivent, l'on en trouve partout. Il y en a, accrochés aux tirants des portemonnaie, accrochés aux cartables des écoliers, il y en a qui pendent aux sacs des femmes, il y en a, fixés aux boutons des manteaux et à la chaîne de Petit-Lecourt. Quand Madame Chou Racine monte dans l'autobus de Québec, il y a un bouquet de zizis japonais à la poignée de sa valise. Les zizis japonais ont proliféré et se sont répandus comme des fourmis. Ils ont été nommés japonais à cause de leur couleur jaune-cire. Il y en a tant qu'on est fatigué de s'en amuser. Les premiers jours, c'était la fièvre: on achetait, on vendait, on rachetait et revendait avec des rires et des frémissements; on les dissimulait avec des stratégies compliquées. Le commerce florissait parmi les cris des femmes surprises et les jurons des mâles insultés.

— Les zizis japonais, c'est une épidémie! C'est comme les coquerelles chez les pauvres!

L'on remarque cependant beaucoup ceux que porte, en parure aux lobes de ses oreilles, Mimi Gros-Douillette, pour aller danser à l'Auberge. Elle est étudiante à l'université. Buvant sa bière au goulot de la bouteille elle dit:

— Calvaire, faut démystifier le sexe!

Ou bien:

— C'est l'argent qui a amené la lutte des classes; c'est par la lutte des classes, Calvaire, qu'on va désexualiser l'argent.

Les bûcherons, sortis de la forêt pour le week-end la regardent avec plaisir, mais ils n'osent l'écouter:

— Cet' p'tite Christ-là nous scandalise, Viarge!

Dans leur forêt, ils n'ont jamais vu de zizis trembloter aux oreilles d'une grasse fille instruite. Ils n'ont jamais vu un zizi japonais. Au début de la soirée, ils demandent timidement des renseignements à la Serveuse: qu'est-ce que la belle fille porte aux oreilles? Japonais, pourquoi japonais? Pourquoi elle porte ça? Où est-ce qu'elle prend ça? Où est-ce qu'on achète ça? Combien ça coûte? À la fin de la soirée, les bûcherons n'ont plus de place où poser la bière sur la table toute occupée par un tas haut comme ça de zizis japonais. Jamais de leur vie, d'ailleurs, ils n'ont bu si peu. Toute leur attention a été accaparée par le commerce, c'est-à-dire par l'achat de tous les zizis japonais qu'ils ont pu trouver à l'Auberge et dans le village. Ils en ont le monopole. Dans le domaine des zizis japonais, ils sont plus forts qu'une compagnie multinationale. Ils contrôlent, entassés sur leur table, une montagne de zizis japonais si élevée qu'ils ne peuvent voir de l'autre côté. Ils sont les banquiers du zizi, les rois du zizi; ils possèdent tous les zizis japonais sauf les deux qui pendent aux oreilles de Mimi Gros-Douillette. Elle a repoussé toutes les propositions d'achat.

— Mes Christ, dit-elle dans son langage frotté au latin, à la poésie et aux formules chimiques, si les autres putains de femmes se laissent déposséder, Calvaire, moé j' me ferai pas mystifier par le sexe!

— Pour tes deux zizis japonais, on t'en offre deux canadiens-français.

— J'offre le mien en prime!

— Ah! Ah! Ah!

Pour accorder tout le respect dû aux magnats du zizi, l'Aubergiste dirige le faisceau jaune d'un réflecteur sur la table des bûcherons. Au soleil intense, la montagne de zizis rutile. Les bûcherons, comme des rois qui perdent la raison, ont envie de dilapider leur royaume. Et les zizis commencent à tomber sur les couples embrassés dont l'ombre à peine bouge sur la piste de danse. D'abord, c'est une grêle légère: les ombres se resserrent. La grêle se fait plus épaisse.

Les ombres se penchent l'une sur l'autre. Tout à coup le ciel crève: une avalanche! Les ombres dansantes détalent sous la mitraille. De toutes parts, les zizis s'abattent, frappent, claquent, c'est un bombardement. Les clients se couchent sous les tables. Ce n'est pas assez, les zizis cinglent, cravachent. L'on renverse les tables. L'on improvise des palissades de chaises entassées. Les zizis japonais sont des obus qui sifflent, qui éclatent. Les couples retranchés crient de peur et de plaisir. Soudain l'on a soif. Les zizis japonais s'apaisent. Le champ de bataille se calme. Avec prudence, les combattants se lèvent derrière les barricades. Ils démêlent jambes, chaises et tables. Mimi Gros-Douillette n'a plus les deux zizis japonais à ses oreilles.

Quand apparaît l'aube dans le givre des fenêtres, l'on boit encore et l'on a encore soif. À regret, et avec beaucoup de politesse dans sa vigueur énergique, l'Aubergiste pousse l'un après l'autre ses clients dehors dans la tempête. Il nettoie l'Auberge car, dans quelques heures, le Curé va s'amener y célébrer la messe.

— On prend pas un coup pendant qu'i' dit sa messe, lui; pourquoi c'est qu'i' vient dire sa messe pendant qu'on prend un coup?

— L'église est passée au feu.

— Tu vois ben que l' bon Dieu veut pus de messe! Si le Curé continue de chanter la messe à l'Auberge, l' bon Dieu va mettre le feu à l'Auberge!

— Le Curé va reconstruire quand on aura de l'argent.

— J' lui donnerai pas une maudite cenne. C' que j' vas donner, c'est des pierres. Y en a plein ma terre.

— T'as ben raison: l'or, l'argent, ça fond, tandis que la pierre, c'est éternel.

— L'Église catholique, Calvaire, tranche Mimi Gros-Douillette, ç'a toujours été une banque capitaliste dirigée par des mâles qui aimaient mieux l'or que les femmes.

Bousculés avec égards par l'Aubergiste, les buveurs quittent. Le vent arrache les paroles à leurs lèvres et les emporte. Le vent claque dans la grande voile glacée du matin.

L'aubergiste repousse les tables et distribue des prie-Dieu. Il transforme le bar en autel, il pend des crucifix sur les murs. Puis il ouvre grandes quelques fenêtres afin que le souffle de l'hiver, pur comme l'haleine de Dieu, chasse l'odeur de la danse et de l'alcool, chasse l'odeur de la fumée, celle des corps enlacés dans l'ombre, et disperse les papillons profanes de la musique de danse. Le parfum du ciel bleu, des nuages blancs et de la neige lentement descend se poser dans l'Auberge du Bon Boire.

Le Curé entre, calice d'or à la main, d'un pas moins religieux qu'empressé. Les paroissiens remarquent cette allure inhabituelle. Au lieu d'aller à l'autel, il avance vers ses fidèles. Négligeant de marmonner, selon le rite, une phrase latine, il annonce:

— Mes frères, un grand malheur s'est abattu sur notre village. Depuis une semaine, un grand malheur ronge notre village. Depuis une semaine, mes frères, vous regardez, en riant à gorge déployée, la catastrophe qui roule vers vous avec des yeux venimeux. Dans l'Ancien Temps, Dieu décida de punir un peuple qui l'offensait. Il déversa sur leurs têtes et leurs villes et leurs villages le feu du ciel. Dieu a dernièrement envoyé le feu sur notre village. Dieu a détruit notre église. Une autre fois, dans l'Ancien Temps, Dieu jeta sur les terres d'un peuple de pécheurs une pluie de sauterelles, un déluge de sauterelles qui dévorèrent toutes les moissons. Mes frères, c'est l'hiver dans notre Canada. Dieu ne peut pas laisser s'abattre sur nous un déluge de sauterelles: elles auraient froid, elles prendraient la grippe, elles feraient de la fièvre, elles tousseraient et elles ne pourraient pas détruire en les dévorant nos moissons. Aussi, pour nous éprouver, pour nous prévenir qu'il est temps de nous repentir de nos fautes présentes et passées, Dieu a libéré sur nous une nuée, non pas de sauterelles, mais une nuée de... ce dont je n'ose pas dire le nom dans un endroit saint et bénit car ces seuls sons blesseraient l'oreille de Dieu et l'offenseraient: une nuée de petits objets inertes qui peuvent ressembler allégoriquement et métaphoriquement à des sauterelles, mais qui évoquent plutôt une partie du corps que l'Église nous conseille de tenir dérobée, en été comme en hiver; une nuée venue d'un pays lointain, étranger et païen; une nuée qui est venue encombrer de sa présence, imbibée dans le vice, les nuits et les jours de nos fidèles chrétiens, leurs rêves et leurs songes. Mes frères, ces petits objets pervers ressemblent aussi à des fusées. Ils emporteront vos âmes vers ces marais sombres et visqueux d'où proviennent les impures pensées et les inclinaisons perverses. Chrétiens, courbez la tête et repentez-vous. Aujourd'hui même, dès la messe finie, des enfants de chœur en soutane noire, couleur de votre âme, et en surplis blanc, couleur de l'âme pure, vont se présenter à chacune de vos maisons; dans le grand sac qu'ils vous tendront, jetez, en vous bouchant le nez, les petits objets pervers dont je parle, remettez-les comme vous vous débarrasseriez d'un microbe qui aurait dans ses mandibules une semence de mort.

Après la messe, l'un des enfants de chœur tombe aux pieds du Curé. Il ne veut pas se relever. Il ne veut pas parler. Il ne veut que sangloter, le front écrasé dans ses larmes. Le Curé l'interroge. Demande qu'on apporte une serviette imbibée d'eau froide. L'Aubergiste suggère de lui faire boire du cognac. Le Curé lui présente une de ces friandises qu'il tient toujours dans sa poche pour les enfants. L'enfant pleure. Tout son corps n'est que sanglots sous la soutane et le surplis. Son âme serait-elle malade?

— Mon enfant, dit le Curé. Confessez-vous. Cela apaiserait votre âme.

Parmi les pleurs et les hoquètements, l'enfant de chœur réussit à prononcer quelques mots tout mouillés de larmes: sa fraîche conscience se dévoile péniblement, mot à mot, terrifiée, soupir par soupir, silence par silence. Le Curé apprend que les zizis ne sont pas japonais.

En septembre, un Professeur est venu offrir ses services à la Commission scolaire du village. Il apparut timide à sa première rencontre avec les commissaires. Il ne parlait guère, mais quand il ouvrit sa valise, ils la virent déborder de documents. Sans parler, il présenta ses diplômes: psychologie, géographie, art, latin, andragogie, géographie, histoire: une dizaine de diplômes finement calligraphiés en latin ou en anglais. Un homme n'a pas besoin de beaucoup parler, conclut-on, quand il a accumulé tant de diplômes.

— Un homme à la parole si rare, dit un commissaire, discutera pas longtemps avant d'accepter notr' proposition de salaire.

— Pourquoi c'est que vous v'nez icitte, au village, avec toutes ces diplômes? Icitte, su' la montagne au grand vent, une bonne paire de mitaines est plusse utile qu'un diplôme.

— J'aime l'air pur. J'aime la paix. Ici, c'est le ciel qu'on a pour voisin.

— Icitte, la terre est pleine de roches; les habitants sont pas riches.

— Les gens d'ici vivent parmi les trésors, mais ils ne le savent pas...

Le savant homme fut nommé Professeur à la Nouvelle École. Il n'arrivait jamais en retard, il n'était jamais malade. Il commençait ses cours dès que la sonnerie électrique cessait de vibrer. Il vouvoyait ses élèves. Il restait tard le soir dans sa classe pour corriger au crayon rouge leurs travaux. L'on découvrit que ses pieds avaient l'air, en marchant, de toujours repousser une encombrante jupe de soutane. Son silence, sans doute, était un reste de méditation religieuse qui vide l'homme de paroles terrestres.

Le Professeur était aussi un artiste. Dans son institution, il avait été affecté durant les temps libres et les vacances à la manufacture de saints. Le travail consistait à remplir de plâtre liquide des moules de caoutchouc. Puis il plaçait avec grande délicatesse les moules sur des tablettes pour laisser sécher le plâtre. Plusieurs heures après, il « démoulait », selon l'expression de l'atelier, il ponçait avec douceur les petites aspérités des figurines, soufflait pour faire disparaître la poussière et il peignait les vêtements. Un frère plus ancien peignait, lui, les yeux, les visages et les mains.

Un après-midi, le Professeur annonça à ses élèves, après la leçon de mathématiques:

— La classe est terminée. Vous pouvez partir. Mais si vous voulez demeurer avec moi, je vous parlerai d'art.

— D'or!

— D'art. A-R-T.

Les élèves n'avaient jamais entendu ce mot. Qu'est-ce qui mieux qu'un mot inconnu peut retenir quelqu'un assis?

— L'art, c'est franchir une frontière pour aller vers soi.

Les élèves ne comprennent pas.

— Il n'y a pas que l'argent dans la vie, il y a surtout l'art. L'art se définit par une prise de conscience de l'âme par le corps.

Les élèves se consultent du regard. L'un d'eux, le plus grand, lève la main:

— Monsieur, l'école est-i' finie?

— Oui Monsieur, la classe est terminée.

Sautant par-dessus les pupîtres, marchant sur les banquettes, les élèves forment déjà une grappe bousculante à la porte, une grappe échevelée, laineuse et bottée.

— Ceux qui pensent que la vie consiste à se chamailler sur la patinoire, ceux-là peuvent partir. Aux autres, je voudrais parler de l'art qui révèle les domaines inconnus que l'or ne peut acheter.

111

Le Professeur s'avança dans la grappe impatiente d'élèves devant la porte et il la déverrouilla. Les plus grands, les plus musclés, ceux qui avaient les plus grosses bottes, les plus grosses voix, les plus grosses mains, s'enfuirent en criant:

— Au feu!

Restèrent les jeunes, les pâles, les chétifs, les blonds. Le Professeur leur demanda de s'approcher de lui. Avec la voix émue de celui qui transmet un secret chargé de vie et de mort, il leur apprit l'existence d'un pays caché derrière les apparences. Il leur confia que quelques personnes privilégiées pouvaient s'introduire derrière la porte du domaine protégé de l'art. Pour pénétrer dans ce royaume, il fallait d'abord l'état de grâce. En chuchotant, il leur expliqua:

— Maintenant occupez l'espace de votre corps. Que votre pensée se répande dans votre corps, qu'elle remplisse votre corps comme le vin remplit une cruche, comme l'eau remplit une rivière. Vos mains ne vous sont plus étrangères mais elles sont votre corps. Pensez à votre dos: votre dos n'est pas étranger mais il est votre corps. Pensez à vos pieds; ils ne sont pas des étrangers, mais ils sont votre corps. Pensez à votre poitrine... Pensez à votre cou. Votre corps est l'instrument qui vous permet de capter les ondes de l'univers. Par ces ondes, l'univers s'introduit dans votre corps, le monde vibre dans votre corps. L'art est la façon de sentir, d'aimer et d'interpréter les battements du coeur de l'univers.

Yeux fermés, les petits, les maigres, les chétifs, les tousseux, les blonds dormaient presque, rêvaient presque, ils planaient dans le pays de leur corps et la voix du Professeur chatouillait leur âme qui, de toute petite, était devenue grande dans leurs corps qu'ils sentaient aussi vastes que l'univers entier.

— Il faut aimer son corps, aimer son dos, aimer sa poitrine, aimer ses bras, aimer ses pieds, aimer son cou, aimer ses jambes, aimer ses cuisses, aimer...

aimer son sexe, cette petite chose qui pend entre vos jambes, ce petit fruit qui pend à la branche de votre corps.

Quelques minutes plus tard, parce qu'ils ne pouvaient plus ne pas aimer ce corps lumineux et vibrant des merveilleuses ondes de l'univers, les enfants avaient ouvert leurs braguettes et ils offraient à l'Art leurs petits sexes chétifs et blonds afin de capter les messages de l'univers.

— Avez-vous honte de vos corps, oeuvres d'art de Dieu?

Les enfants répondirent comme en une prière:

— Non!

— Avez-vous honte de l'oeuvre d'art modelée par Dieu?

— Non!

Les enfants debout serraient leurs paupières. Les ondes de l'univers crépitaient dans leurs corps avec des courants électriques assez puissants pour éclairer le village en entier. De ses petits doigts effilés de bonne soeur et avec des gestes pieux que lui avaient appris ses statues, le Professeur moula, dans une argile brune et molle, chacun des petits sexes à qui, dans les braguettes, il trouvait une ressemblance avec des oisillons perchés dans leurs cages et sur le bec desquels il aurait posé un tendre baiser.

— L'art c'est l'amour de l'univers. Ceux qui n'aiment que l'argent ne comprennent pas ça car ils ne peuvent aimer que l'argent. Cette partie de votre corps, il faut apprendre à la toucher avec autant de respect que votre front où naissent les idées. Dieu l'a créée lui-même dans l'Argile. Je distribuerai à chacun quelques sous. Auparavant, jurez, devant Dieu, sur vos têtes, de ne rien révéler de ce qui s'est passé ici.

Le lendemain, à l'école, les joueurs de hockey remarquèrent que les petits, les tousseux, les maigres, les chétifs et les blonds étaient pâles et qu'ils avaient les yeux éraillés et cernés. Leur secret était si lourd qu'ils en étaient épuisés. À la sonnerie proclamant la fin de la journée, le Professeur dit:

— Ceux qui aiment l'Art doivent rester avec moi.

Ils n'osèrent se consulter du regard ni hésiter. Quand ils eurent formé un cercle « imitant la perfection de l'univers », il ordonna de fermer les yeux et de tendre la main. Il y déposa doucement les petites formes qu'il avait moulées dans une matière plastique et qu'il avait peintes avec le pinceau qui avait servi à peindre les lèvres et les yeux des saints.

— Aimez cette partie de votre corps qui contient tout votre corps: comme votre corps contient tout l'univers. L'aimez-vous?

Et les petites voix d'enfants répondirent comme en une prière à l'église:

— Oui!

— Mes enfants, il faut le proclamer au grand jour, aux quatre coins de votre village!

Les petits, les chétifs, les maigres, les tousseux et les blonds sortirent de l'école avec quelques petits zizis de plastique au fond de leurs poches. Timides et tremblants, ils les posèrent en divers endroits avec les mêmes précautions que s'ils avaient manipulé de la dynamite... Puis ils les semèrent à la dérobade. Et ils s'enhardirent...

Pendant ce temps, la cellule du Parti de l'Indépendance donnait hebdomadairement des leçons d'économie pour préparer les militants à l'offensive qui arracherait les richesses québécoises aux mains molles des Anglais et aux crocs puissants des Américains. Ceux qui se souvenaient comment écrire, prenaient des notes copieusement, attentivement. L'énonomiste, devant ces visages rugueux, songeait qu'enseigner à ces villageois ressemblait au geste auguste du semeur sur les terres pierreuses du village.

— Pour vendre, il faut mettre un prix sur les choses. Ce qui n'a pas de prix ne se vendra pas. Les Canadiens français n'ont jamais voulu mettre de prix sur leur travail, sur leur bois, sur leurs animaux. C'était la conséquence d'une culture religieuse qui faisait craindre une punition céleste à ceux qui attachaient une valeur aux biens terrestres. Conséquemment, les étrangers inscrivaient les prix après les avoir évalués selon leurs propres critères, qui cherchaient naturellement leur profit personnel. Chaque produit doit avoir son prix. Un homme libre, un pays libre, c'est un homme ou un pays qui fixe lui-même les prix de ses produits.

Oliva Beauchamp avait un petit zizi de plastique dans sa poche. À la sortie du cours d'économie indépendantiste, pendant que les autres allumaient pipes et cigarettes, il présenta le curieux objet:

— Qui c'est qui veut acheter un zizi? C'est un zizi japonais.

L'Arrache-clou proposa:

— J' t'offre dix cennes!

Oliva Beauchamp avait compris la leçon de l'économiste:

— Un zizi japonais, ça vaut pas en bas de deux piasses...

Il le vendit un dollar. Les premiers zizis sur le marché se vendirent à ce prix et plus cher encore quelques fois. Puis quand les zizis japonais envahirent par nuées le village, les prix fléchirent. Bientôt, la production fut si abondante qu'on ne les vendait plus, on les donnait.

— M'a va d'mander au professeur d'économie d' m'expliquer c' phénomène-là, se promit Oliva Beauchamp.

— Vous avez participé mes frères, crie le Curé qui a les deux poings au ciel, vous avez participé au commerce de la chair. Vous avez inscrit un prix sur le sexe de vos enfants, cette partie du corps de vos enfants que Dieu a faite à son image et à sa ressemblance et destinée à prolonger dans l'histoire la vie de notre valeureux petit peuple travailleur et pieux; cet instrument de notre survivance, vous l'avez profané. Vous êtes coupables comme ceux dans les villes qui font le commerce de la chair. Je ne parle pas des bouchers, mais je parle de la chair fraîche de nos enfants qui vont vendre leur corps et leur âme aux gens des villes. Mes frères, avec de gros rires, vous avez fait le commerce de la chair de vos enfants.

Les villageois ont le menton enfoncé dans la poitrine. Le remords a sur eux le poids d'une montagne. Jamais la neige ne sera assez épaisse, jamais la glace ne sera assez froide, jamais le vent ne sera assez clair pour purifier le village. Les parents des petits, des maigres, des tousseux et des blonds marcheront honteux, torturés, les yeux sur cette terre qu'ils ne voient pas sous la neige mais dans laquelle Dieu les attend. Malgré tous les avril et tous les juillet, il restera au fond de leur âme un peu de cet hiver dont on se rappellera qu'il était froid comme un remords. La neige peut cacher la terre entière mais elle ne pourra jamais ensevelir ce souvenir.

La terre n'avance pas vers la délivrance. Les villageois ne sentent pas, sous la terre gelée, battre les mouvements d'un coeur lointain. Et s'ils mettaient leurs mains sur leurs propres poitrines... Leur vie dort paisible et lisse.

Un jour, la neige tombe sur les fenêtres: c'est long comme le temps qui ne passe pas. Le lendemain, la lumière du jour est brillante comme de la glace: les regards se brisent contre les parois invisiblement pures. Un autre jour, une lettre arrive de la Floride; l'on se réunit autour des images colorées de la mer, du sable chaud, des fleurs, des oranges: l'on croit entendre le vent chanter dans les palmiers. Un autre jour, le blizzard, une colère des vents qui se roulent dans la neige, secoue les toits, fonce dans les murs et enveloppe le village dans un nuage furieux où se cachent des couteaux de glace: des vents forcenés comme des flammes condamnées à ne pas brûler. La tempête apaisée, les mères attendent aux fenêtres que reviennent les chasse-neige avec cette crainte que les enfants, jouant dans la neige, rampant dans des tunnels creusés sous la croûte, ne soient happés par la charrue, roulés et ensevelis dans les déblais qui ne fondront pas avant mai.

Il y a quelques années, un enfant, sur le chemin de l'école, aperçut une main qui dépassait la neige des déblais. Riant aux éclats à la pensée qu'il allait surprendre un compagnon caché dans la neige, l'enfant escalada les déblais avec une ruse d'Indien et empoigna la main. Au bout de la main, il n'y avait pas de petit compagnon! Son corps avait été mâché par les couteaux en spirale du chasse-neige. Les jours où l'on attend le passage des chasse-neige, les mères ne cessent de compter leurs enfants.

— Ces machines-là pourraient aller moins vite. Elles avancent comme des folles!

— Ça coûterait plus cher: ces machines-là gagnent dans une heure plusse que toé, tu gagnes dans une semaine.

— Maudit argent! L' bon Yieu s'en va mais l'argent reste...

Un autre jour, une voiture inconnue apparaît dans le sillon de la rue, une voiture neuve qui flamboie sous le soleil neuf. Parti à l'automne avant que ne rougissent les feuilles, Ovilda Duquette revient, comme on dit, de son hiver.

— Quand les hommes reviennent, c'est ben vrai que le printemps est pas loin!

— L'hiver a été bon?

— Y avait pas trop de maringouins!

L'homme rit aussi fort qu'il fait gronder son moteur; il a déjà oublié l'hiver; la neige a déjà fondu dans sa mémoire. L'homme ne veut penser qu'au printemps et au rouleau de billets dans ses poches qui lui permettront de naviguer à travers le printemps, l'été et jusqu'à l'automne prochain.

Ces hommes qui reviennent ressemblent un peu à Monsieur Bourdage, l'étranger à la Cadillac blanche qui avait fait boire tous les clients de l'Auberge en assurant que les maisons du village étaient bâties sur de l'or.

— Moé j'ai creusé; j'ai rien vu. J'ai même pas trouvé de vers à pêche.

Et l'on recommence l'histoire de l'église en feu, l'histoire des flammes qui couraient dans le ciel et qui aboyaient comme des chiens, l'histoire du miracle de Démeryse, celle du Notaire qu'on a entendu rire cette nuit-là, et l'histoire de l'orgue qui a chanté dans les cendres.

— Faudrait parler itou de la Cadillac blanche qu'on n'a pas revue.

Les transistors criaillent ensemble à tous les étages, dans toutes les cellules: les réclames bombardent les chansons. D'une cellule à l'autre, des cris transportent des messages, échangent des farces, circulent dans un grondement qui roule. Le détenu matricule 2786 n'entend plus les coups frappés sur les murs pour transmettre des secrets, ni les coups des écuelles frappées contre les barreaux pour marquer le rythme d'une musique qu'un transistor déverse d'une autre cellule ou d'un autre étage; il n'entend plus le roulement des wagonnettes qui transportent des barils de potage, ni les sifflets pour attirer l'attention d'un gardien, ni les défis ni les menaces lancés d'une cellule à l'autre, ni les blasphèmes de celui qui essaie de houspiller le temps arrêté; il n'entend plus les mots d'amour que de grosses voix emmiellées offrent à leurs serins frétillants; le 2786 est devenu sourd au tumulte de la détresse humaine, mais le bruit de la clef touchant la serrure de sa cellule le fait sursauter comme si on lui piquait dans le dos la pointe d'un poignard. Chôcu Choquette, le gardien:

— T'es d' bonne humeur, 2786?

— J' vous l'ai dit déjà: 2786, c'est pas un nom d'homme.

— Tu sais ben que j'aimerais mieux t'appeler Monsieur Bourdage... Ou ben J.J.

— Gardons les distances. Avec votre trousseau de clefs, vous appartenez pas à la même classe sociale que moé.

— Avec tes Cadillac blanches — toujours blanches, c'est-i' une manie? — t'appartiens pas au même club que moé qui a encore une Ford '58.

— Avez-vous les cigares?

Chôcu Choquette accepte de faire des achats, « de l'autre côté », comme disent les détenus: jamais d'alcool ou de pilules ou de drogue, mais des petites emplettes qui ne l'empêchent pas de dormir l'âme en paix. Le 2786 est un gentleman. Chôcu Choquette parlait de lui à sa femme et il l'assurait qu'il ne serait pas gêné de l'avoir à sa table dans une occasion spéciale comme la fête de la Saint-Jean-Baptiste. Chôcu Choquette, le gardien, aimerait parler avec ce détenu, sans l'uniforme. Le 2786 aurait volé une Cadillac. Il vole chaque fois des Cadillac, toujours blanches. Quand on sait le prix de ces voitures-châteaux, on devine que tous leurs propriétaires ont volé un peu pour se les procurer.

— Qu'est-cé que tu lis, 2786?

— Vous enquêtez pour l'autorité?

— C'est pas de ma faute si t'es un détenu pis moé si j' sus un gardien. On fait c' qu'on peut. Penses-tu que j'ai demandé, moé, pour que l' Gouverneur m'envoie mettre le nez dans tes livres? Des livres épais de même avec pas une maudite image de femme pour s' reposer l'oeil. Au fond, c'est mieux que tu r'gardes pas trop d'images de femmes. Y en a su' l'étage qui ont les yeux usés à force de s' frotter les yeux su' les tétons des revues.

— Moé j' lis: *S'évader est un jeu d'enfant quand on a Monsieur Chôcu Choquette comme gardien!*

Chôcu Choquette s'impatiente. Il voudrait que le 2786 ne se moque pas toujours de lui. Il aimerait un peu plus de respect. Peut-être est-il mécontent des cigares?

— I' est-i' bon ton cigare?

— I' est ben bon. J' vous rendrai ça. Ma reconnaissance, ça sera pas de la boucane!

Un sourire s'étale dans le visage du gardien qui s'incline pour recevoir le compliment. Se relevant avec autorité:

— Faut que j'écrive les titres de tous les livres. Celui-là... Lire, c'est l'affaire la plus difficile dans le monde...

— Ça s'appelle *Barnato, le roi de l'or*. Ça été publié en 1937, en même temps que moé, j' venais au monde. C'est l'histoire d'un clown qui ramassait que'ques cennes dans les clubs, dans les cabarets et dans les cirques. Que'ques années plus tard, i' était devenu le roi mondial des mines d'or! Y a des gars comme ça! Vous, vous êtes né gardien de prison pis vous allez mourir gardien de prison, condamné à r'garder la vie par le trou de la serrure. Y a des gars comme ça et y en a d'autres!

Le 2786 aspire la fumée de son cigare, la déguste, puis l'exhale. Un rêve lointain flotte dans la cellule. Chôcu Choquette se raidit, impatienté, et il s'emploie, d'un crayon agressif, à copier les titres des livres sur la tablette.

— Y a rien de plus précieux, trouve-t-il tout à coup, que ma liberté. La liberté de rentrer dans sa maison après le travail, la liberté de se dire qu'on est libre.

— Cette liberté-là, elle est plus puante que pas de liberté! C'est justement celle-là que j' veux pas avoir.

Chôcu Choquette décide qu'il vaut mieux ne pas discuter. Péniblement, le nez sur son carnet ou sur les livres rangés, il sue à enregistrer les auteurs et les titres: Pierre Berton, *Klondike, the Last Great Gold Rush;* V. Forbin, *L'Or dans le monde;* C. Ruston Read, *What I Heard, Saw and Did at the Australian Gold Fields;* Elizabeth Page, *Wild Horses and Gold;* James G. Mac Gregor, *The Klondike Gold Rush Through Edmonton;* W. B. Haskell,

Two Years in the Klondike and Alaskan Goldfields; H. Villard, *The Past and Present of Pike's Peak Gold Regions;* Lord Cecil, *Goldfields Diary.*

Chôcu Choquette interrompt son écriture brusquement, pousse sa casquette vers l'arrière comme si sa tête était tout à coup bouillante d'une intuition extraordinaire:

— Écoute donc 2786, avec tous ces livres en anglais, aurais-tu décidé d'apprendre l'anglais?

— À regarder les choses froidement, l'or a l'air de répondre seulement à ceux qui l'appellent en anglais!

— Ça a l'air d'être vrai. J' connais pas ben ben de Canadiens français qui ont trouvé de l'or.

— Mais moé, j' vas trouver le mot français qui va faire répondre l'or...

Le 2786 roule son cigare entre ses lèvres à la manière, s'imagine Chôcu Choquette, des millionnaires américains:

— Ça veut dire que j' vas épuiser ma sentence jusqu'au boutte pis que j' vas sortir dans la liberté, pis que j' vas m'acheter deux Cadillac blanches si j'en veux deux, pis que j' vas rembourser tous ceux à qui j'ai fait du tort dans ma maudite vie.

Chôcu Choquette soulève sa casquette: sa tête bouillonne car il vient de flairer une piste:

— Tous tes livres, i' parlent de l'or.

Le 2786 jusque-là s'était tenu assis sur son grabat: il se laisse tomber, il s'allonge en croisant les doigts sous la nuque:

— Quand une femme prépare un festin, elle lit dans un livre de recettes. Moé, ces livres-là sont mes livres de recettes...

La main du gardien tremble sous le carnet de notes, il voudrait savoir écrire plus vite; son stylo fait des pirouettes:

— Parle pas si vite. Le Gouverneur m'a dit de noter tes paroles quand tu parles de tes livres. J' fais pas ça

parce que j'aime ça. C'est mon gagne-pain. Mais j'
voudrais pas écrire ton histoire toute de travers.

— Vous êtes un bon diable. Le Gouverneur aussi
est un bon diable. Quand j'aurai mes Cadillac blanches, j' vas revenir vous voir. Cette fois-là, inquiétez-
vous pas, elles seront payées. Comptant: argent su' le
comptoir!

Sans se lever de son grabat, le 2786 tend un bout
de papier au gardien qui lit: « Hochheimer, Albert,
L'Or, fléau des peuples, Paris, Buchet-Chastel, 1957. »

— Pourriez-vous demander au Gouverneur de me
faire venir ce livre-là qui est pas à la bibliothèque?

Puis il se laisse retomber sur son grabat:

— Si vous craignez pas de me faire un peu crédit,
m'achèteriez-vous des cigares un peu moins pauvres?

— Toé, tu prépares un mauvais coup...

C'est une insulte. Le 2786 saute de son lit. Le gardien recule. Il croit que le détenu va crier. Il parle
doucement:

— J' veux me laver les mains. J' veux devenir propre. J' veux passer de l'autre côté.

— Ces livres-là sont mes livres de recettes, relit
le gardien en vérifiant l'exactitude de son compte-
rendu... Ça, j' vas m'en souvenir par coeur.

J. J. Bourdage s'approche de Chôcu Choquette qui,
par réflexe de gardien, recule devant le prisonnier:

— J'aimerais mieux que vous répétiez pas ça au
Gouverneur. Ça va lui donner des tracas supplémen-
taires. Pourquoi c'est que vous garderiez pas ça pour
vous. Vous pis moé?

Le gardien acquiesce et sort. Casquette à la main,
parce que ses idées sont devenues vapeurs, il s'empresse vers le bureau du Gouverneur de la prison, se
couvrant pour ouvrir les barrières qui obstruent les
couloirs, et se découvrant pour marcher, puis remet-
tant sa casquette à la prochaine porte à barreaux. Quand
il est reçu chez le Gouverneur, Chôcu Choquette
annonce:

— Le 2786, c'est un homme guéri. Seulement, j'espère qu'i' va pas se repourrir au contact des autres... Cet homme-là, on l'a guéri.

Le Gouverneur ordonne sèchement:

— Donnez-moi vos notes.

— Cet homme-là prépare un coup. Mais j' mettrais ma main dans le feu jusqu'au coude que c'est pas un mauvais coup.

Il rapporte mot à mot tout ce dont il se souvient. Quelques minutes plus tard, précédé de Chôcu Choquette et suivi de deux gardiens armés, le 2786 est conduit au bureau du Gouverneur. C'est la première fois qu'on lui fait cet honneur.

— Monsieur le Gouverneur, dit-il, je trouve qu'i' fait aussi sombre dans votre bureau que dans le mien.

Le Gouverneur n'aime guère la comparaison. Va-t-il riposter par un rappel du respect que le prisonnier doit avoir envers l'autorité qui représente la Société? Il choisit d'être humain, simplement humain:

— Je garde les tentures fermées car je n'aime pas les barreaux dans ma fenêtre. Aimez-vous les barreaux dans la vôtre?

— Pour être franc, moé, les barreaux, ça me donne envie de me sauver. Vous, Monsieur le Gouverneur, avez-vous des fois envie de prendre le large?

— Allons! On est toujours moqueur, Monsieur Bourdage, toujours persifleur. On est toujours esprit fin? On est toujours bouche d'or?

— Excusez-moé, Monsieur le Gouverneur; j'aurais pas dû, mais avec vous, j' me sus senti à l'aise... Prenez pas ça comme une insulte, Monsieur le Gouverneur. La prison a des drôles d'effets su' un homme. On perd le sens de la réalité...

— Venons aux faits. Monsieur Bourdage, j'ai intercepté tout votre courrier.

— C'est votre droit, Monsieur le Gouverneur. Pis votre travail.

— Vous savez d'où proviennent ces lettres?

— Probablement pas de ma vieille mére, Monsieur le Gouverneur, parce que dans son cimetiére, elle peut pas m'écrire souvent.

— Monsieur Bourdage, j'ai intercepté des lettres qui venaient du Ministère des Richesses naturelles, du Ministère des Mines, du Ministère des Terres et Forêts...

— Ah!

Le Gouverneur éparpille sur sa table ces lettres presque toutes volumineuses et dont le rabat a été relevé.

— Les Ministres et moé on est ensemble comme les doigts de la main.

Le Gouverneur exhibe un paquet de lettres qu'il sort de son tiroir:

— J'ai aussi intercepté des lettres de New Bid Gold Mines, Magusi River Mines, Mattagami Lake Mines, Camino Gold Mines, Red Ruth Gold Mines, Holmer Gold Mines, James Bay Gold Mines...

Le Gouverneur laisse tomber avec désintéressement ces grandes enveloppes sur sa table:

— Et j'en ai d'autres...

Il ouvre un autre tiroir et en sort une liasse d'enveloppes toutes épaisses, bariolées de couleurs et de sigles commerciaux:

— Qu'est-ce que ça signifie?

— J'ai décidé de prendre en mains la destinée économique du Québec.

Le Gouverneur se dresse furieux, insulté, le doigt sur la sonnette d'appel:

— 2786, as-tu cambriolé une banque?

— Non, Monsieur le Gouverneur.

Le Gouverneur lui jette sous les yeux la liste des livres qu'a notés Chôcu Choquette:

— L'or, c'est ton idée fixe?

— Y a deux sortes de gens, Monsieur le Gouverneur: ceux qui en trouvent et ceux qui en trouvent pas.

Le Gouverneur est repoussé dans son fauteuil par la réponse de 2786:

— Me jures-tu que tu n'as pas dévalisé une banque?

— Monsieur le Gouverneur, si j'avais fait une banque, c'est pas à vous que je me confesserais. Mais j'ai pas volé. Rien volé depuis la dernière Cadillac blanche qui m'a mené icitte. Voyez-vous, Monsieur le Gouverneur, l'or a été créé par Dieu pour les hommes, mais c'est pas Dieu qui a mis l'or dans les banques. Dieu l'a mis dans la terre. Et la terre appartient à tout le monde... À vous aussi, Monsieur le Gouverneur.

Le Gouverneur lui fait signe de sortir.

Quand le 2786 rentre à sa cellule, sa bibliothèque a été vidée. Tous les livres sur l'or ont été réquisitionnés.

Dans les semaines qui suivent, les livres reviennent, un à un, sur la tablette. C'est Chôcu Choquette qui les rapporte et les replace lui-même. Il ne dit rien. Le 2786 attend qu'il parle. Mais Choquette ne pourra supporter le silence pendant longtemps. Un soir, il confie:

— Le Gouverneur fait pas d'autre chose que lire tes livres su' l'or. I' va finir par en savoir plus long que toé.

— Le Gouverneur pourra jamais savoir toute c' que j' sais...

Chôcu Choquette lui tend un bouquet de cigares:

— As-tu remarqué que j' paie pas mal plus cher pour tes cigares?

— Si j'ai remarqué! Le Gouverneur lui-même peut pas s'en payer des comme ça! Merci.

Le 2786 aligne ses cigares sur sa petite table:

— J' vas fumer ceux-là avec un grand plaisir. Parce que ça va être les derniers.

— Tu veux pus que j' t'apporte des cigares?

— Non. C'est les derniers que j' fume. Tu sais, moé, j' veux sortir d'icitte propre comme un torchon qui a passé plusieurs mois dans une laveuse. De l'autre côté, j'ai une maudite belle vie qui m'attend. J' veux être propre. Si on me faisait des petites faveurs en prison, j' pourrais être sali. Un petit cigare que vous

m'apportez en contrebande, ça l'air de rien, mais la boucane du petit cigare pourrait être pas mal salissante. J' pourrais devenir noir de suie. Et vous aussi...
— Les cigares que j' t'apporte, c'est pas pour être payé...
— Vous me les donnez? On efface la dette. Merci. Merci. J'oublierai pas. Merci. Mais j' veux pus de cigares. J' veux être traité comme les autres. Quand on se reverra de l'autre côté, on pourra se regarder dans les yeux. Allez-vous vouloir me voir, moé, votre prisonnier?

Chôcu Choquette tousse pour cacher son émotion et pour donner une explication à ces larmes qui lui remplissent les yeux. Après s'être tordu de tousserie, il caresse le dos des livres sur l'or:
— Depuis que tu lis ces livres-là, t'es pus comme les autres...
— Dans ma vie, j'ai toute raté, toute: ma naissance, parce que j' sus né dans une famille qui avait trop de pauvreté pour avoir de la bonté; j'ai raté ma jeunesse: quand on est damné dans l'enfance, on rencontre personne d'autre que l' diable le reste de sa vie... Mais y a une chose que personne va me faire échouer: ma réhabilitation...

Chôcu Choquette a envie de lui toucher l'épaule d'une main chaleureuse. Un réflexe de gardien l'en empêche. Il sort de la cellule. Comme s'il fuyait. La porte refermée et verrouillée, il s'essuie les yeux.

En écoutant le rapport ému du gardien, le Gouverneur ne peut retenir une larme. Depuis des mois, chaque matin devant son miroir, il a envie de vomir à l'idée qu'il doit retourner à cette prison dont il est le Gouverneur. Cette larme est pleine d'un bonheur inattendu: elle l'entoure d'une douce lumière dans le couloir sombre et barricadé de sa vie. Il vit derrière les barreaux comme les prisonniers. Les heures de sa vie se conforment à l'horaire de sa prison. De tous les détenus, il est le seul à n'avoir pas le droit de rêver à une évasion. Existe-t-il cependant, ailleurs dans l'univers, un endroit où l'on puisse être utile à ses frères humains autant que dans cette prison? Ses larmes ont le goût du bonheur retrouvé. Changer un voyou en homme: n'est-ce pas le miracle qu'il a accompli?

Le soir même, Chôcu Choquette vient porter dans la cellule du 2786 tous les livres qui ne lui ont pas été rendus de même qu'un grand sac rempli de lettres provenant de compagnies faisant le commerce de l'or. Le 2786 lui demande d'attendre qu'il griffonne quelques mots sur une feuille à l'intention du Gouverneur:

— Pour le remercier de son geste...

Il écrit:

« *Monsieur le Gouverneur, merci. Quand tous les détenus auront droit à autant de bonté, ils deviendront meilleurs. Je sais que vous avez lu tous mes livres et toutes mes lettres: c'est votre travail. Mais je vous préviens qu'il y a un message caché dans mes livres et mes lettres: une grande chance brille devant moi à l'horizon. Si tous les détenus avaient le même espoir, ils seraient meilleurs. Merci Monsieur le Gouverneur pour toutes vos bontés qui m'aident à devenir un homme net.*

2786 J. J. Bourdage

P.S. Soyez sévère pour que je n'aie pas une chute juste avant de toucher au but. »

Le gardien déplie la feuille que lui tend le 2786, lit le message, la replie et la glisse dans sa poche d'où ses doigts tirent un cigare:

— Veux-tu fêter ça avec un cigare?

— Non, j' fumerai pus de vos cigares.

— L'Évangile nous dit de partager...

Il casse un cigare en deux et il présente un bout au 2786.

— Non.

Chôcu Choquette allume le sien et il fume sans parler. Le 2786 a le regard perdu. Il a les yeux sur ses livres mais le gardien devine qu'il voit plus loin.

— Avez-vous déjà, dans votre vie, réfléchi à l'or, vous? s'inquiète le 2786.

— Ouais, ça m'a préoccupé, quand j' sus allé chez le dentiste pour me faire réparer ma dent icitte, la grosse là...

— Si le monde est pourri, c'est à cause de l'or. Mais l'or peut aussi sauver un homme.

Le gardien soulève sa casquette; essayer de fixer dans sa mémoire ces paroles pour les rapporter au Gouverneur et s'efforcer en même temps de les comprendre exigent un discernement qui fait bouillonner sa tête. Le 2786, les yeux sur sa fumée, regarde briller son rêve.

— Toé, j' prie l' bon Dieu que t'aies pas cambriolé une banque...

— I' arrive un moment dans la vie d'un homme qui a un peu vécu où on se préoccupe moins de voler les banques que de se faire voler par les banques.

Chôcu Choquette arrache son cigare:

— Toé, si t'as pas volé une banque, t'as trouvé de l'or! Maudit chanceux!

— Une conscience propre, ça vaut ben de l'or! Avant, j'aurais volé mon pére et ma mére s'i' avaient eu que'que chose à voler. J'ai volé des amis. J'ai volé des étrangers. J'ai volé le Gouvernement, même si c'est pas péché. J' volais durant la journée, et la nuit, j' rêvais que j' volais! Y a juste mon odeur qui m'appartenait. Pis, tout à coup, la chance est arrivée. J' vas finir de payer c' que j' dois à la société, pis j' vas sortir propre. J' vas sortir, pis j' vas rembourser ceux qui m'ont aidé à devenir propre.

— Moé, dit Chôcu Choquette, si j' t'aide, c'est pas pour être payé, c'est pour t'aider.

— Parlez pas comme ça, vous me faites penser à mon défunt pére qui me parlait su' c' ton-là quand i' était soûl. Pôpâ, si vous m'entendez de votre ciel, apprenez qu'i' vous reste pus longtemps à avoir honte de votre enfant!

Depuis quelques jours, la soupe est immangeable: un bouillon gris; trois grains de riz et deux rondelles de carottes par baril. Chaque jour, elle ressemble plus que la veille à de l'eau de vaisselle maigre. De l'autre côté, il n'y a pourtant pas rumeur de famine. Le Conseil d'administration a décidé d'organiser un coup contre la soupe. Les détenus devraient, selon les règlements du Ministère de la Justice — section lieux d'internement — suivre la « filière normale », mais les détenus savent par expérience qu'un coup est la seule manière de faire évoluer la situation. Un coup d'audace et, le jour même, des légumes flotteront dans la soupe!

Le Conseil d'administration a mis au point une stratégie. Les ordres ont été communiqués de cellule en cellule. Aucun mur ne les a empêchés de circuler. Les détenus sont si absorbés par la préparation du coup que la plus grande discipline règne; les détenus se conforment aux règlements avec un grand enthousiasme. Certains gardiens chantent dans les couloirs. Ceux qui ont une bonne nature, comme Chôcu Choquette, affirment que les détenus entrent dans une « bonne lune »; les pessimistes, les ronchonneurs sont persuadés que les détenus feront payer cher ces quelques instants d'accalmie.

Le jeudi, les détenus doivent défiler chez le barbier-coiffeur. Dans la salle des barbiers-coiffeurs, il y a quelques dizaines de chaises. Les barbiers-coiffeurs sont eux-mêmes des détenus: ils abandonneront leurs rasoirs sans trop de résistance. Donc, en même temps, au même signal, quelques dizaines de détenus seront armés de rasoirs. Il suffira de s'emparer d'un gardien et de le menacer. Le Conseil d'administration a choisi l'inoffensif Chôcu Choquette. En haut dans sa cage, le garde armé n'osera faire feu de crainte de blesser son collègue. Et le Conseil d'administration a désigné Bourdage pour attirer Chôcu, son ami, dans le piège.

Pendant la promenade obligatoire dans la cour extérieure, Bourdage chuchote à son voisin un message qu'il demande d'acheminer jusqu'au Conseil d'administration:

— J'ai le coeur de votre côté, les amis, mais j'ai les mains et les pieds liés. J' sus plus surveillé que l'aumônier dans un couvent de bonnes soeurs. À force d'espionner, i' ont découvert que j' prépare un coup personnel...

— Ton coup personnel, i' doit sentir pas bon, s'i' l'ont déjà senti!

— I' ont fouillé dans mes livres, i' ont fouillé dans mes lettres, et i' savent... Les amis, me mettre dans votre affaire, c'est comme accrocher un gorlot au chat qui va courir la souris! Quand la soupe sera bonne, j' sus prêt à donner ma part.

Quelques heures plus tard, deux gardes armés viennent chercher le 2786 dans sa cellule; il est convoqué chez le Gouverneur:

— Alors, dit le Gouverneur, il paraît que j'ai découvert que vous préparez un mauvais coup personnel...

Il regarde le 2786 dans les yeux avec assurance: pour avoir autant de courage, il doit avoir deux revolvers dans ses poches et le doigt sur la gâchette.

— Parce que vous voulez préparer votre coup personnel en toute quiétude, vous avez refusé de participer à l'affaire de la salle des barbiers-coiffeurs...

— Monsieur le Gouverneur, j' veux sortir d'icitte propre... J' veux suivre les règlements de la prison comme on suit le petit catéchisme.

— L'avez-vous déjà lu votre petit catéchisme? Sortir propre, dites-vous? Vous voulez surtout éviter la surveillance, tromper les soupçons, endormir vos gardiens pour préparer dans la confiance générale votre coup personnel. Quand un détenu en arrive à changer autant que vous, c'est qu'il prépare un coup.

— Oui Monsieur le Gouverneur, j' prépare un coup...

Encore une fois, le Gouverneur a la force de regarder le 2786 dans les yeux. J. J. Bourdage se dit que des gardes armés sont cachés derrière les tentures.

— Un coup personnel, Monsieur le Gouverneur: me garrocher dans une vie propre. Me comprenez-vous? Entrer dans une vie propre comme on entre dans une chemise neuve, propre, qui sent le neuf...

— Y a de l'or dans votre coup? insinue le Gouverneur.

— Monsieur le Gouverneur, vous en savez ben plusse que vous le laissez paraître... Vous pis moé, on lit les mêmes livres...

— J'ai commencé la lecture de *L'Or, fléau des peuples.* C'est passionnant.

Le lendemain, pendant la promenade des détenus dans l'enceinte extérieure, les prisonniers marchent deux à deux, l'un derrière l'autre, au pas, en dessinant un cercle qui doit être parfait, autrement les sifflets des gardiens profèrent de stridentes menaces. Brutalement, le 2786 se trouve coincé entre cinq détenus, les deux qui le précèdent, les deux qui le suivent et celui qui l'accompagne. Ils l'écrasent à coups de coudes, de pieds et de genoux:

— Le coup de la salle des barbiers, c'est toé, mon maudit, qui as fourni le tuyau aux chiens!

Le 2786 geint. Les coups coupent ses phrases. Il perd haleine. Il gémit, sans souffle:

— Parlez-moé pas. Sauvez-vous de moé comme de la peste... J' sus surveillé... Me dire un mot, c'est comme dire un secret dans la radio, d'un Atlantique à l'autre... Y a toujours une oreille qui écoute...

Frappé aux jambes, au ventre et au visage, il est tombé par terre sous les bottes des autres détenus qui poursuivent leur promenade circulaire. Les gardiens agitent leurs armes, ils crient. Les détenus relèvent le 2786. La promenade n'a pas été interrompue.

— Parlez-moé pus, les amis, dit J. J. Bourdage, sans colère; depuis qu'i' savent que j'ai trouvé le filon, i' me lâchent pus.

— Le filon?

Les gardiens ordonnent d'accélérer le pas. Les

prisonniers courent et dans l'enceinte entourée de hauts murs, leurs pieds glissent sur le gravier avec un bruit rude que l'espace clos exagère. La promenade terminée, les détenus sont conduits à l'intérieur. À peine le 2786 a-t-il eu le temps de tamponner à l'eau froide les éraflures à son visage, de retirer ses bottines et de s'allonger sur son grabat, qu'une clef est introduite avec son insupportable grincement métallique dans la serrure de sa porte:

— Le Gouverneur veut vous parler, annonce Chôcu Choquette.

Sur le bureau du fonctionnaire, dans un coin, brille un trousseau de clefs. Une force pousse le 2786 vers les clefs comme l'aiguille vers l'aimant. Il résiste. Il voudrait ne pas regarder les clefs mais ses regards lui désobéissent. Souriant dans son fauteuil, le Gouverneur fume une cigarette avec l'air heureux de Dieu, au septième jour de la création du monde. Il tend son paquet de Players vers son invité, il le tient juste au-dessus des clefs. Pour aller chercher la cigarette, le 2786 devrait allonger les doigts juste au-dessus des clefs.

— Je sais que vous ne fumez plus, mais ici, dans l'intimité de mon bureau, peut-être...

— Non merci. J' veux pus de boucane dans les poumons. Et j' veux pas attraper un cancer. J' veux vivre vieux. Vieux et propre.

— Vous avez raison. Un homme qui a trouvé le filon peut désirer vivre longtemps...

— Vivre propre et de l'autre côté. Le monde aura pas peur de se salir en me donnant la main.

— Si tous les détenus avaient une seule idée propre, ce serait la révolution dans les prisons...

— Tout le monde a au moins une idée propre, Monsieur le Gouverneur. Mais dites-moé iousqu'i' peuvent aller dans le monde d'aujourd'hui avec une idée propre?

Le Gouverneur pose sa cigarette dans le cendrier et se mordille le doigt:

— Évidemment, l'or est un métal propre.

— Monsieur le Gouverneur, vous êtes un fonctionnaire...

— Derrière le fonctionnaire de l'État, se cache toujours un homme. Si on craint le fonctionnaire, il est bon parfois de se confier à l'homme.

L'on a frappé. Le Gouverneur se lève pour ouvrir. Ses clefs sont sur le coin du bureau. Le 2786 surprend dans son visage un effort pour faire semblant d'oublier les clefs. Le détenu agrippe sa main droite, celle qui a l'habitude de le servir si fidèlement dans ses tâches professionnelles et il la retient sagement de sauter sur le trousseau de clefs. Les clefs ne bougeront pas. Après avoir chuchoté brièvement dans l'embrasure, le Gouverneur revient s'asseoir. Il grimace tant il voudrait ne pas regarder sur le coin de son bureau où sont les clefs.

— Il est, je dirais, hygiénique de se confier parfois. Mon ami, une mine d'or, ça doit être difficile à porter pour un homme tout seul...

Au lieu de lui répondre, le 2786 indique les clefs du regard:

— Monsieur le Gouverneur, vous avez essayé de me tenter. Pourquoi? Vous savez qu'en prison, entre les murs, un homme est faible?

Le Gouverneur ne peut trouver à répondre. Il regarde son détenu. Il n'a plus ce sentiment de la domination de celui qui n'a pas fauté sur celui qui est condamné. Son regard n'est pas assez fort pour supporter celui du 2786. D'un signe de la tête, il lui demande de sortir.

Le 2786 marche dans les couloirs, tête basse, l'air humilié. L'apercevant, les détenus concluent que les chiens le surveillent trop. Ils devinent à sa mine d'homme battu qu'il n'a révélé aucun secret. Dur comme une pierre, fermé sur son secret: ainsi le voient-ils. Il faut protéger Bourdage. Le Conseil d'administration prévient les gardiens que Bourdage sera protégé.

Durant la nuit, il entend du bruit à la porte de sa cellule, mais sans se réveiller. Et sans se réveiller, il est arraché de son lit, mis debout. Des mains le mordent aux épaules et aux bras, mais il dort. Il est tiré comme un sac dans les couloirs et dans les escaliers qui mènent aux sous-sols. La porte d'une cellule grince, on le jette sur un grabat, la porte se referme en sonnant contre l'acier de l'embrasure. A-t-il rêvé? Les gardiens repartent avec leurs pieds qui glissent sur le plancher, leurs trousseaux de clefs qui clinquent à leurs ceintures et leurs grosses bedaines qui soufflent.

Il ne dort jamais profondément. Il sait percevoir le moindre chuintement dans la nuit. Rêve-t-il? Où est-il? Il ne reconnaît pas son lit. Où est-il? Il ne reconnaît pas ses murs. Il ne reconnaît pas son silence. Rêve-t-il? Quand il entend un grand cri se former dans sa poitrine et s'élancer à travers la pierre des murs et l'acier des portes, il comprend qu'il a peur. Son front est gluant de sueurs. Il crie. Il se lève sur son grabat et crie plus fort encore comme si par son cri il essayait de repousser la nuit dont il est le prisonnier plus encore que des pierres. Sa voix est celle d'un enfant désespéré. Une lueur étincelle dans sa porte. On regarde par le vasistas. Il s'étend sur son grabat. Pourquoi a-t-il crié? Pourquoi a-t-il eu peur? Il ne crie jamais. Il n'a jamais peur. Il sursaute quand la porte s'ouvre. Le voici debout sur son lit. Pourquoi tremble-t-il? On aura saupoudré quelque calmant dans sa nourriture:

— L' Gouverneur t' demande, dit un gardien qu'il n'a jamais vu.

Arme au poing, le gardien accompagne le 2786 étonné de trembler. Le Gouverneur est assis en robe de chambre derrière son bureau:

— Vous avez l'air tout bouleversé, tout chiffonné; vous n'aimez pas votre nouvel appartement? dit un peu moqueur le fonctionnaire.

Le 2786 se tait.

— Vos amis savent que vous avez trouvé un filon mystérieux. Ils s'imaginent que c'est de l'or. Il faut être prudent. Tout peut vous arriver. C'est mon devoir de vous protéger.

Le 2786 incline la tête. Il tremble encore:

— J'ai pas d'or dans ma cellule.

— Votre or, vous l'avez dans la tête... Votre précieux secret, vous avez préféré le déposer entre les mains de personnes qui ont torturé les lois de la société plutôt qu'entre celles d'un fonctionnaire... derrière lequel se cache un homme que vous connaissez mal.

— Monsieur le Gouverneur. Y a que'ques années, j'étais jeune, j'étais un débutant dans les affaires. (Est-ce le temps de raconter cette histoire? Il ne doit la raconter que plus tard. Mais il a envie de le faire cette nuit. Si on n'avait mis aucun calmant dans sa soupe, aurait-il ce besoin urgent de se raconter? Se rappellera-t-il les détails essentiels?) Mon Boss m'a dit: « T'es instruit, t'es allé dans un collège de curés, tu sais le latin, tu vas aller en Urope. T'as de l'instruction, tu vas pas passer pour un maudit Sauvage. Tu nous feras pas honte chez les Français de Marseille. Si i' comprennent pas le canayen, i' vont peut-être comprendre ton latin. » J' devais aller porter une valise à un homme à Marseille et revenir avec une autre valise. Une petite valise. Mais pesante. En revenant dans l'avion avec ma valise en dessous de mon siège parce que j'avais reçu l'ordre de pas me tenir plus loin de ma valise que vous de votre femme...

Le Gouverneur hausse les épaules: il ne désire pas être si près de sa femme.

— Y avait à côté de moé un homme qui lisait un livre, mais un livre écrit en grec, comme j'avais appris dans ma grammaire.

« Eh! Monsieur, que j' lui dis, êtes-vous un Grec?

— Non, m'a répondu l'homme, je ne suis pas Grec, mais si je pouvais renaître, je sais dans quel pays je naîtrais: en Grèce. »

Le Monsieur a refermé son livre et il a mis sa main sur mon bras:

« Jeune homme, rappelle-toi de ça toute ta vie: le

plus grand bonheur que tu peux avoir, c'est une femme qui te l'apportera. Le plus grand malheur que tu auras, c'est une femme qui te l'apportera. »

La p'tite main blanche laissa mon bras et ses doigts claquèrent pour appeler l'hôtesse. Il commanda du champagne. On a commencé à boire. I' r'venait de la Grèce. En parlant, i' avait quasiment un accent grec. I' avait la peau bronzée comme la face des armateurs. Le Monsieur se comportait comme un collégien en vacances. I' avait attrapé la jeunesse comme on attrape la grippe. Ou un coup de soleil. C'était un notaire qui avait sorti comme une coquerelle d'en dessous de ses papiers. I' r'venait de Grèce avec des ailes, comme un papillon en couleurs. Du champagne! Encore du champagne!

« J'ai vécu cinquante-deux ans, cinquante-deux ans d'une vie, ni plus malheureux, ni moins malheureux que tout le monde. L'avantage de mon métier, heureux ou malheureux, c'est qu'on a toujours les mains et le col de sa chemise nets. Cinquante-deux ans dans la vie d'un homme, c'est beaucoup. Mais je te dirai, jeune homme: ouvre la porte de l'avion, et ces cinquante-deux ans de ma vie, je vais les jeter dehors, sans parachute, je vais les jeter dans la mer en espérant qu'elles ne se souviendront plus de moi. Je vais les oublier. Les seuls jours que je veux garder dans ma vie sont ceux que je viens de vivre. »

Monsieur le Gouverneur, ma coupe se remplissait de champagne toujours avant que j'en voie le fond. C'était comme une source, ça coulait. J'ai pensé à ma valise sous mon siège. On voit ça dans les films: des gens en avion soûlent leur voisin pour voler leur valise. J'ai avalé ma dernière gorgée en me disant que c'était le dernier liquide que je buvais avant d'avoir les deux pieds su' la terre avec ma petite valise pesante! Quand le Notaire m'a vu enlever ma coupe de sous le goulot de la bouteille, i' m'a dit:

« Tu bois pas? (I' avait déjà oublié tout ce que j'avais bu.)

— Non, c'est un voeu que j'ai fait à ma sainte mére su' son lit de mort. Un voeu, c'est un voeu...

— Un notaire sait plus que quiconque qu'une parole d'honneur est une parole d'honneur. Il faut toujours promettre quelque chose à sa mère mourante. »

Sa petite face de notaire, entre sa coupe et sa bouteille qu'il tenait dans ses mains, j' m'en rappelle, a commencé à grimacer. Pis i' a braillé:

« J' veux pas mourir! »

Moé, j' savais pas quoi dire. J' pensais qu'i' avait peur que l'avion tombe.

« Mourir, i' paraît que c'est pas plus grave que s'endormir. C'est un Grec qui a dit ça dans ma grammaire. »

Le Notaire, à ce moment-là, m'a demandé d'écouter son histoire. I' m'a raconté comment i' avait remarqué une jeune fille grecque assise à une table dans le soleil, comment i' avait commencé à lui parler, comment i' avait réussi à la faire monter dans sa chambre d'hôtel, comment i' avait réussi à l'étendre su' son lit:

« L'amour, qu'i' me disait, c'est mieux que de venir au monde; c'est aller au ciel. »

I' m'a raconté sa vie. J'en sais plusse sur sa vie que si j'avais lu une biographie de sept volumes. Mais j' me rappellerai longtemps des choses qu'i' m'a dites.

« Chez nous, le pays est contre l'amour. On ne peut pas aimer le gel qui te griffe le visage, on ne peut pas aimer les tempêtes enragées, on ne peut pas aimer l'automne parce que l'hiver est au bout, on ne peut pas aimer la terre parce qu'elle a trop de pierres. Sur notre terre de roches, comme on ne peut pas aimer, on rêve à l'amour. Le pays est contre l'amour. Si un homme, par hasard, aime, il ne doit pas laisser paraître qu'il a des ailes d'oiseau, un coeur comme un remous dans l'océan et une pensée qui embrasse hier et demain. Il doit avoir l'air de ramasser des roches. Avec cet air-là, chaque jour du bon Dieu finit par peser comme une roche, et les maudits papiers de notaire pèsent plus lourd encore.

— D'où c'est que vous venez?

— Je viens d'une région de buttes et de pierres. Le bon Dieu lui-même ne réussit pas à faire pousser un brin d'herbe là-dedans. Nous, nous nous y acharnons depuis des générations. C'est si pauvre en-dessus que ça doit être bien riche en dessous.

— Personne est jamais allé voir en dessous?

— Les habitants sont tellement occupés à enlever les pierres devant la charrue qu'ils n'ont jamais eu le temps en dix générations d'aller voir plus creux que le soc de la charrue. Mais depuis dix générations, ils se racontent qu'il y aurait de l'or dans ces terres désolantes. C'est comme l'idée du ciel. La plupart des gens ont une vie semblable à nos terres de roches, aride et infructueuse, mais ils croient à un ciel après la mort. L'or des habitants, comme le ciel, c'est une légende qui remonte jusqu'à creux dans la nuit des générations. Moi-même, j'ai découvert que dans mon inconscient, je crois, comme les habitants, à l'or sous les pierres, parce que j'ai raconté à mon amour grec que je venais d'un pays d'or. »

— Ça non plus, Monsieur le Gouverneur, je l'ai jamais oublié.

— De quelle région venait ce Notaire?, demande le Gouverneur innocemment, comme on dit: quelle heure est-il?

Le 2786 le regarde avec une lumière dans les yeux qui assure: je ne tomberai pas dans votre piège.

— Monsieur le Gouverneur, y a des choses que j' peux pas encore vous confier.

Il se lève. Minaudeur, le fonctionnaire l'invite à ne pas le quitter si vite:

— L'or, alors, ce n'est pas vrai? C'est de l'imagination?

— Monsieur le Gouverneur, y a des choses qui s'inventent pas...

— Monsieur Bourdage, je vais vous confier une chose énorme qui ne devrait pas se dire dans un lieu comme celui du bureau du Gouverneur d'une prison: quand vous serez de l'autre côté, comme vous dites, j'aimerais vous avoir à dîner, un soir, chez moi, avec ma femme, et même mes enfants, dans ma maison. Un petit repas familial, dans ma maison neuve. Parce que je viens de me construire une maison. Quand on passe comme moi la journée derrière les barreaux, il est bon d'avoir une maison où l'on est libre. On y est confortable. Bien sûr, c'est un peu au-dessus de mes moyens financiers... Celui qui s'intéresse à l'or peut comprendre ce genre de risque. Le nain qui se prend pour un géant n'est déjà plus un nain. Il faut compter sur l'avenir. Je vous invite sincèrement. Le premier dimanche que vous serez de l'autre côté.

— Parlez-moé pas de même, c'est trop humain, j' peux pas supporter ça.

Le Gouverneur appuie sur un bouton et l'on ramène le 2786 au « trou » comme les détenus ont baptisé cette section où sont placés ceux qui sont dangereux ou ceux qui ont droit à une protection spéciale. Le lendemain, Chôcu Choquette vient porter une lettre, une lettre sur papier officiel: « En vertu de la loi sur les libérations conditionnelles, et sur recommandation spéciale du Ministre de la Justice québécoise et sous la surveillance du Gouverneur de la prison et selon une procédure spéciale proposée par le Sous-Ministre du Bien-être social qui la recommandera au Ministre du même Ministère, le détenu J. J. Bourdage est immédiatement libéré sous réserve de bonne conduite. » Le 2786 ne peut retenir un juron qui retentit dans la cellule, vibre dans les couloirs, passe entre les barreaux et fait frémir les statues de la chapelle. Un juron d'enthousiasme! Le gardien lui présente une autre lettre: c'est une invitation du Gouverneur à souper le soir même dans sa maison neuve:

« Vous et moi, nous prouverons qu'un homme comme vous et un homme comme moi pouvons être amis. L'amitié, n'est-ce pas de l'or? dirais-je sous la forme d'une petite blague! »

III

En ce printemps règne l'accord du ciel et de la terre. La vie, libérée de l'hiver, frémit dans l'herbe et sous l'écorce, dans le plumage des oiseaux et sous les cailloux. Regardant le nouvel azur, les villageois oublient dans une mémoire ensoleillée leurs souvenirs de neige et de glace.

La montagne verte se rapproche de J. J. Bourdage, avec ses petites maisons au loin qui, comme les cailloux dans les champs, tachètent la verdure. Il s'appuie contre l'épaule chaleureuse du printemps. Ce pays libéré de l'hiver et lui, affranchi des murs et des barreaux de fer, éprouvent la même joie: en eux chante la joie profonde, sans mots. L'épaule du soleil à côté de lui est si réelle qu'il se surprend à raconter que la montagne est enceinte et qu'elle accouchera bientôt d'une merveilleuse petite souris en or. Il éclate de rire. Sa Cadillac blanche semble rire aussi, avec lui.

Ses bagues brillent à ses doigts. Le vif soleil de mai saute, en rayons agiles, de pierre en pierre. La main serre le volant. Une puissance vibre en J. J. Bourdage comme si c'était lui qui produisait la lumière de ce jour, comme si la limpide lumière provenait du frottement contre son corps de l'air du printemps. Son corps est un violon agité d'ondes claires. Il pousse sur l'accélérateur et chante. La campagne est plus transparente encore.

La première fois qu'il était venu dans ce pays, ce village lointain dont la carte du Québec souvent oublie le nom, J. J. Bourdage voulait revoir cet homme rencontré un jour dans l'avion; il voulait surtout repérer la maison, les fenêtres, les portes de cet homme fou d'amour. Aussi amoureux, J. J. Bourdage ne l'avait pas été même à seize ans. Ce notaire avait cherché l'amour comme lui cherche la fortune. Dans l'avion, ce petit homme à la peau couleur de testament apportait chez lui l'amour en contrebande. Le Notaire aurait donné tout ce qu'il avait amassé durant sa vie de grincements de plume sur le papier pour cet amour qu'il avait trouvé. Un pommier que l'on croit mort et qui tout à coup fleurit: voilà ce que le Notaire était devenu.

Le Notaire avait passé sa vie à épargner ses biens et ceux des autres, à économiser, à prévoir le pire, tout à coup il était prêt à tout donner pour une jeune fille qu'il aimait: ses épargnes, ses obligations, ses débentures, ses bons, ses coupons... Pendant que le Notaire s'enthousiasmait pour ce grand peuple tout petit qui avait inventé l'amour, la liberté et le culte d'enterrer les morts comme s'ils étaient vivants; pendant que dans les yeux du petit homme brillait encore de cette lumière qu'il rapportait de là-bas, J. J. Bourdage pensait que cet homme qui n'avait jamais aimé une femme auparavant devait avoir beaucoup aimé l'argent. Il pensa aux économies du notaire, aux obligations, aux débentures, aux bons d'épargne, aux certificats de prêt: ces richesses attendaient un cambrioleur comme le petit notaire avait espéré l'amour. Il décida qu'il irait les voler. Le Notaire n'en souffrirait pas trop puisqu'il était amoureux. Sa décision prise, il avait accepté un cigare mais refusé le champagne du Notaire:

— La terre du village est plus pauvre encore que les habitants. Pourquoi est-ce qu'on reste là? demandait le Notaire. Nous ne sommes pas de la race de ceux qui abandonnent. Quand nous avons tort surtout, nous n'abandonnons pas. C'est notre façon d'avoir raison. Nous avons un dicton de vieux qui dit: « Dans terre pauvre, il y a souvent richesse! »

Le Notaire, un long moment s'était tu pour fumer. Tout à coup:

— Mais, jeune homme, l'amour est un bien grand trésor!

L'avion se posa. J. J. Bourdage tira de sous son siège sa précieuse valise. Il pria Dieu que les douaniers ne soient pas trop curieux.

— Oui, jeune homme, l'amour est un bien grand trésor, mais un homme doit toujours le voler...

Sa valise parvenue à destination, J. J. Bourdage fut invité, de grosses mains poilues serrant ses épaules, à « demeurer tranquillement chez lui ». Il avait fait preuve de débrouillardise, de détermination, de sang-froid et d'ambition. Cela avait séduit ses patrons qui se proposaient de lui confier des tâches plus importantes. Plus tard. En ce moment, il ne devait à aucun prix attirer l'attention. Les hommes aux gros doigts poilus qui serraient les muscles et les os de ses épaules pour exprimer une chaude amitié virile, suggérèrent à J. J. Bourdage de solliciter un emploi à une Caisse d'Économie: de cette façon, ils sauraient où le trouver quand ils auraient plus tard besoin de ses services. Les gros doigts lui écrivirent des lettres de recommandation comme n'en obtint probablement jamais le Directeur général des Caisses. Il prit place derrière son guichet et son petit tiroir où il empilait des billets qui semblaient n'appartenir à personne.

Les jours étaient longs comme des semaines. Un vendredi, après la fermeture de la Caisse, il eut la conviction qu'il allait étouffer par manque d'air; le seul salut possible était de tenter une aventure. Au loin, dans un petit village, l'attendaient des billets, des bons d'épargne, des débentures... Le soir tombé, il se promena calmement dans les rues loin du quartier de sa Caisse, à la recherche d'une voiture qui lui conviendrait. Il repéra une Valiant '58 blanche. Quand il fit assez sombre, il se faufila sous le capot pour mettre le moteur en marche. Il sortit de la ville. Il baissa les fenêtres. Plus il s'éloignait, moins l'air sentait mauvais. L'air pur le fit tousser. Très tard dans la nuit, presque à l'aube, il atteignit le village le long d'une route qui avait été tracée sur un sentier de lapins, entre les roches, les épinettes et les buttes. Tout était nuit: les toits, les fenêtres, les murs et la rue, la seule rue. Tout était nuit noire. J. J. Bourdage était allé dans les pays étrangers, mais il ne s'était jamais rendu aussi loin que dans ce village. Et jamais il n'avait été aussi proche des billets, des bons d'épargne, des certificats et des coupons du Notaire.

Subitement, la nuit se déchira et la lumière lui arriva comme un caillou dans le visage:

— Qu'est-ce que vous faites dans mes fleurs?

— I' fait noir comme dans l' trou du cul du diable. Si c'est une place où y a des fleurs!

— Sortez d'ici, malheureux! Non seulement vous écrasez mes fleurs mais vous piétinez les fleurs du bon langage.

La lumière piquait les yeux de J. J. Bourdage de toutes les échardes de ses rayons.

— Excusez les dommages que j'ai faites à vos fleurs, mais vos maudites fleurs, j' les vois pas!

— Mais je vous connais, vous, jeune homme!

La lumière se détourna, lui laissant les yeux pleins d'égratignures et elle éclaira un visage blanc, étroit, qui avait l'air d'un poisson malade dans l'eau sombre.

— Je vous connais, jeune homme, nous avons voyagé ensemble en avion.

Aurait-il plongé, dans sa Cadillac blanche, au fond d'un puits d'eau noire que J. J. Bourdage n'aurait pas été plus surpris. Il fallait choisir une stratégie, répondre vite: « Vous vous trompez, Monsieur, les seuls avions que j'ai vus de proche, c'était aux p'tites vues avec ma blonde, » ou bien: « J'ai pas oublié not' voyage Monsieur. J'ai eu envie de vous r'voir. Et j' vous cherchais. »

J. J. Bourdage finalement répondit:

— Vous m'avez reconnu au premier coup d'oeil, en pleine nuit?

— Entrez chez moi, jeune homme. entrez!

J. J. Bourdage suivit la petite forme noire qui se déplaçait à pas calculés dans le cercle de lumière qui tremblait. Le Notaire, d'une main faible et insistante, le poussa dans son bureau. Des livres cachaient les murs. De gros livres à la reliure brune. Derrière la table de travail nue et luisante, plus gros qu'un réfrigérateur, un coffre-fort noir où sans doute dormaient les débentures, les obligations, les bons d'épargne, et des liasses de billets.

— Vot' coffre-fort, pour le percer, i' faudrait faire pas mal de bruit... Vous l'entendriez, même si vous étiez dans les Vieux Pays!

Le Notaire recommença à relater son voyage, à la façon de celui qui a répété la même histoire cent fois, avec les mêmes mots, la même voix, et les mêmes silences... Il se l'était raconté cent fois à lui-même, d'une voix basse, pour n'être pas entendu au-delà des murs de son bureau.

Après avoir lutté pendant des heures pour suivre la route qui jouait à se cacher dans la nuit, J. J. Bourdage, épuisé, essayait de ne pas dormir et de garder les yeux ouverts sur les portes du coffre-fort noir, avec cette roue dans la porte de droite, cette sorte de volant qui pourrait le conduire jusqu'aux trésors. Le Notaire, voix douce et doux gestes, racontait comment un jour il avait vu l'amour « en personne »:

— Sur la terre, un homme n'a besoin et envie que d'aimer, mais on supporte toutes les servitudes, excepté celles de l'amour. Un jour, par la bénédiction des dieux, j'ai rencontré une fille qui me dit: « Je prendrai ton amour et je te donnerai le mien... »

— Comment avez-vous pu comprendre que la fille

vous disait ça si elle parlait le grec? Elle vous demandait peut-être iousqu'étaient les toilettes!

Ces paroles vulgaires l'irritèrent mais vivre avait appris au Notaire que celui qui porte un trésor reçoit toujours quelques crachats.

— L'amour, jeune homme, a existé chez les hommes et chez les animaux bien avant l'invention du langage. Avec le langage, les guerres sont arrivées, les chicanes, les injures, les malentendus, tout ce qui empêche d'aimer.

Le Notaire marcha vers le coffre-fort, tourna la roue dans la porte vers la droite un tour, deux tours, trois tours, puis il tourna dans l'autre sens deux tours, puis un demi-tour, puis un tour vers la gauche et un quart de tour et la porte s'ouvrit. Il en sortit un paquet de lettres colorées vivement par les timbres et les étendit en éventail sur la table:

— Je ne comprends pas sa langue, mais elle connaît la mienne et (sortant du coffre-fort une pile de livres où J. J. Bourdage reconnut des caractères grecs) j'apprends la sienne, oui, Monsieur, j'apprends la sienne. Aimer, c'est vouloir parler la même langue.

J. J. Bourdage avait sur les pupilles la route qui frottait comme une courroie sans fin: elle menaçait de se casser et de se détraquer dans la nuit.

— Je vous soupçonne de ne pas aimer, jeune homme. Mais moi, j'aime. Si on me demandait de répondre à la question du petit catéchisme: « Pourquoi êtes-vous venu sur la terre? » je répondrais: « Pour aimer! » Et Monsieur, il ne s'agit pas d'aimer l'argent, d'aimer l'alcool, d'aimer les jeux; il s'agit d'aimer une femme!

Son visiteur n'était pas digne de voir plus longtemps les lettres bigarrées ni les livres; il les rangea dans le coffre-fort, repoussa la porte et fit tourner la roue en forme de volant.

— Non Monsieur, rien de ce qui est rangé là-dedans, à côté de ces lettres et de ces livres, ne vaut un seul éclair d'amour qui illumine le visage d'une femme aimée. Vous, jeune homme, pourquoi n'aimez-vous pas?

J. J. Bourdage s'empêcha de bâiller pour dire:

— J'aime... j'aime la vie, en général...

— Durant des années, j'ai vécu sans savoir quel feu, quelle mer, quel ciel, quelle liberté l'amour était! Ma vie était fermée comme la terre de ce pays. Ce matin, jeune homme, vous verrez la terre, vous verrez les touffes d'herbe pauvre qui pointent entre les pierres, vous verrez les bêtes maigres que cette terre nourrit mal, vous verrez, cette terre n'est pas tout à fait un désert mais elle n'a pas d'oasis. Avant d'aimer, ma vie était semblable à la terre de mon pays. Oui, jeune homme, ma vie était stérile. J'attendais que la mort m'allonge sur cette terre stérile. Mais jeune homme, la vie est plus merveilleuse que cela! Et pour vous l'expliquer, je vais vous raconter une croyance du pays.

Pendant des générations, hommes et bêtes de ce pays ont été courbés dans une prière pour implorer que la terre les nourrisse: courbés et soumis. La terre n'a jamais répondu. Oui, jeune homme, pendant des générations les hommes du pays ont tourné et retourné cette terre qui est pauvre comme leurs pères et leurs grands-pères. Comprenez-vous pourquoi les habitants s'acharnent avec autant d'entêtement? Ils croient, jeune homme, que lorsqu'elle aura été nettoyée de tous ses cailloux, lorsque toutes ses pierres auront été ramassées, ils croient que cette terre sera riche. Oui, jeune homme, les habitants de ce pays croient qu'ils trouveront de l'or sous les pierres.

J. J. Bourdage se trouva debout, éveillé: ces mots avaient sonné comme une volée de cloches pour une naissance.

— De l'or sous les pierres? répéta-t-il, incrédule.

— Ne croyez pas, jeune homme, que les habitants de ce pays soient des chercheurs d'or. Mais nous avons ici une croyance populaire: un jour, quelqu'un fendra une pierre et l'or en sortira comme le sang coule d'un cochon.

— De l'or sous les pierres...

— Oui, jeune homme, et toute ma vie ressemble à cette terre du pays. Comme les habitants, sans savoir, je vivais en espérant qu'il y aurait de l'or sous les pierres de ma vie. J'y croyais sans doute; comment aurais-je pu vivre autrement? Mais, jeune homme, je m'aperçois que je ne vous ai rien offert à boire. Aimeriez-vous un café?

— Vous dites, Monsieur le Notaire, que chaque habitant surveille le soc de sa charrue au cas où i' verrait d' la grenaille d'or?

— Oui, Monsieur, depuis des générations. Malheureusement, l'or n'est pas éternel comme l'amour. Le corps meurt, mais l'âme continue d'aimer dans les siècles à venir. Aimer, après la mort, n'est-ce pas encore plus beau que d'aimer dans les pays de la vie?

— Vous y croyez, vous, à l'or sous les pierres?

— S'il n'y avait pas d'or, quelle serait l'utilité des pierres?

— Vous vous êtes peut-être imaginé...

— Jeune homme, — mais je ne vous ai rien offert à boire! — quand ils voient leur colline avec le tuf qui déchire la verdure, quand ils voient les rochers avancer dans leurs champs comme des icebergs, les habitants rêvent à de l'or caché; ils en parlent entre eux en se moquant.

— Est-ce qu'i' cherchent de l'or?

— Non Monsieur, ils y croient. C'est assez. Chercher de l'or? Ils craindraient de briser leur rêve. Croire, n'est-ce pas plus important que posséder; quand on ne possède rien?

La voix du Notaire dans la nuit faisait le bruit d'une plume grinçant sur le papier. Les années succédèrent aux années et l'or étrange de cette histoire ne cessa jamais de briller dans la mémoire de J. J. Bourdage. Encore une fois, il se l'est racontée. Sortant de ses souvenirs, il voit le soleil briller sur le capot de sa Cadillac blanche et sur les pierres de sa bague et dans les champs, sur l'herbe et sur les pierres. Il rit:

— L'or! l'or! l'or!

Quelques jours plus tôt, il a soupé chez le Gouverneur de la prison, sur la nappe neuve, sur la table neuve, sur la moquette neuve de sa maison neuve et en face de sa femme qui, sous le maquillage souriant, avait l'aigreur d'une sorcière. Quand Madame se taisait, quand elle cessait de raconter comment son mari étudie pendant la nuit dans des livres qui lui aident à mieux comprendre ses « bandits » — « pardon, ses protégés » — le Gouverneur essayait d'expliquer « une réalité importante et qu'il est essentiel de connaître »: le prix onéreux qu'il en coûte à un honnête homme de se construire un toit:

— Jésus-Christ n'avait pas une pierre à lui où poser la tête, mais le ciel lui appartenait, tandis que moi, mon royaume est une humble prison, comme vous, cher ami. Maintenant que nous sommes tous deux du même côté du mur, nous pouvons fraterniser, n'est-ce pas? L'amitié n'est-elle pas un trésor partagé?

Le Gouverneur de la prison, par toutes sortes de ruses, essayait d'en connaître un peu plus sur la prochaine entreprise de J. J. Bourdage. Le souper se termina très tard. Le Gouverneur était un peu ivre. Madame s'était excusée, humiliée de voir son mari boire et rire en compagnie d'un individu louche, au casier judiciaire chargé. Seuls, ils enfilèrent quelques digestifs. Puis, à pas très prudents sur la moquette neuve, le Gouverneur reconduisit J. J. Bourdage, posant un bras protecteur sur son épaule. Ouvrant la porte:

— La liberté est là, devant. Marchez droit, voici la route de la dignité.

Avant d'y poser le pied, J. J. Bourdage se retourna:

— Monsieur le Gouverneur, croyez-vous aux superstitions que les vieux transmettent à leurs enfants, de génération en génération, et depuis très longtemps?

— Oui, c'est la culture d'un peuple. Il faut croire à ça.

J. J. Bourdage lui tendit la main: toucher la main molle d'un homme honnête lui rappela une désagréable sensation: quand, enfant, il avait effleuré un pis de vache dans la campagne d'un oncle.

— Merci, Monsieur le Gouverneur; j'oublierai pas que j' vous dois d'être devenu propre. Merci.

Il tourna le dos. De la porte, le Gouverneur lui cria:

— Ma maison vous sera toujours ouverte. Quand on construit une maison qui vous coûte aussi cher, qui vous ruine ni plus ni moins, il faut qu'elle soit ouverte. Au revoir, cher ami. À bientôt! Et bonne chance!

Le gravier crissait sous ses pas. J. J. Bourdage cria au Gouverneur tout éclairé, devant sa maison neuve, comme un saint d'église dans sa niche:

— Vous êtes mon vrai pére. J' vous dois la vie.

— Quand vous aurez de l'or, n'oubliez pas votre ami dans sa petite maison neuve qui le ruine...

Et le Gouverneur, cet homme si distingué, lança un rire d'une force et d'une rondeur qui le surprirent. Dans la nuit, le rire résonna comme si le Gouverneur avait dit: « OR! OR! OR! OR! »

Et l'écho le répétait.

La Cadillac blanche, brusquement, comme si elle se trouvait devant un mur, immobilise ses roues dans un grand cri de caoutchouc. J. J. Bourdage saute de sa voiture pour regarder un monticule de cendres, de briques noires, des poutres carbonisées, et des pans de murs troués. Des vieillards parlent, gesticulent, essayent sans doute de raviver le passé, de reconstruire par les paroles l'église détruite.

— C'est l'église? demande-t-il.

— Elle a brûlé.

— Le feu a tout pris, même mon prie-Dieu capitonné.

— Pis on a pus d'endroit dans le monde iousqu'on peut faire chanter nos funérailles.

— Un homme sans église, c'est un homme sans maison.

— À notre âge, un homme sans maison, c'est une vieille ombre plissée qui erre dans le village. C'est pus un homme.

— Cette église-là, faite avec des briques et des prières, elle a brûlé comme du tabac.

— Comment c'est que c'est arrivé?

— Y a des jeunes fous qui cherchaient la fortune dans la terre; i' ont ouvert la terre; qu'est-cé qui est sorti? Pas de fortune, pas d'or, mais le feu de l'enfer!

— Faut ouvrir la terre pour semer; pas pour chercher fortune.

— Le désir de l'or, on n'a pas ça dans le sang.

— Faut pas ouvrir la terre pour voler les morts.

— Dans le sang, on a le travail; l'or, c'est pas du travail.

— La terre ouverte, les morts sortent et i' mettent le feu aux églises, et quand l'église est devenue de la cendre, i' s'en mettent une pincée su' la tête et i' rentrent chez eux.

— Quand y a pas assez de morts dans la terre, c'est les vivants qui paient...

— Faut pas s'accrocher à la terre, mais au ciel.

J. J. Bourdage remonte dans sa Cadillac blanche. Par la fenêtre, il crie aux vieillards:

— Rien qu'à vous pencher un peu, vous pourriez ramasser assez d'or pour vous construire une église en or, des cercueils en or et, avec les restes, vous pourrez faire des broderies en or su' la chasuble du Curé... Rien qu'à vous pencher...

Les yeux qui ont pris l'habitude, dans ces corps courbés vers le sol par les tâches pénibles et la vieillesse, de regarder le ciel où Dieu les attend, posent un regard vers la terre; ils ne pensent pas à l'or, mais au sommeil prochain. L'idée grise de la mort traverse leurs yeux fatigués. J. J. Bourdage est déjà ailleurs.

La Cadillac blanche a fait un bond jusqu'au presbytère:

— Monsieur le Curé, j'entreprends dans ce village une Grande Affaire. Votre église brûlée, n'y pensez plus; si le bon Dieu me nuit pas, j' pourrai vous la reconstruire. Et je vous mettrai des feuilles d'or là où vous voudrez: au plafond, sur les statues.

— Dans quelle entreprise, mon fils, vous lancez-vous?

— M. le Curé, j' vous demande de garder le silence sur la promesse que je vous ai faite et (se jetant à genoux, la tête penchée comme un chien qui attend une caresse) votre bénédiction.

Le Curé marmonne en latin et dessine d'un geste une croix au-dessus de J. J. Bourdage.

À l'Auberge du Bon Boire, quand le patron aperçoit J. J. Bourdage, il s'immobilise, hésite, s'appliquant à nouer ensemble le temps passé et le présent:

— Maudit voleur, crie l'Aubergiste, chargeant, le poing tendu vers J. J. Bourdage, si j'ai pas mis la police après toé, c'est parce que j' sais que le bandit revient toujours sur les lieux de son crime.

J. J. Bourdage tourne le dos à l'agresseur et proclame en riant:

— Mademoiselle, servez à boire à tout le monde! Pis oubliez pas l' Boss!

L'Aubergiste abat le poing sur le comptoir.

— Vous m'avez pas oublié, Boss? dit J. J. Bourdage. Ça fait chaud au coeur...

Il ouvre les bras comme s'il attendait que l'Aubergiste s'y précipite pour l'embrasser.

Celui-là bougonne, les poings serrés:

— Es-tu v'nu m' payer tes dettes, maudit voleur?

— Un honnête citoyen craint pas de se faire traiter de voleur par un aubergiste qui met trop d'eau dans le whisky!

— Si tu laisses voir encore les dents que t'as dans la gueule, j' te les casse!

— Mon pauvre Boss, dit J. J. Bourdage avec son plus beau sourire, de quelle prison sortez-vous pour être si mal embouché? Soignez votre langage autrement votre Auberge va passer pour être un trou...

— J' te parlerai poliment quand t'auras la politesse d' me payer ta facture de l'année passée.

— Quoi! La Compagnie paie toujours mes notes d'hôtel dans la semaine qui suit mon départ. Tiens. J' sors juste d'un séjour de plusieurs semaines dans un grand hôtel. La Compagnie a déjà payé les frais.

— Ta maudite Compagnie m'a pas envoyé une maudite cenne!

— Ah! les maudits capitalistes exploiteurs des petits comme toé pis moé! Le téléphone?

J. J. Bourdage agrippe l'appareil avec colère:

— Opératrice, donnez-moé, frais virés, charge renversée, reversed charges, Dallas, Texas, tout d' suite, c'est urgent, Texas Gold Mining — ça veux dire mines d'or — 876-3281... Allô... This is Bourdage speaking. Give me the Travel Expenses Department...

Il commence à vociférer, il est rouge, il hurle plus fort encore. Comme il parle en anglais, les buveurs attablés ne comprennent pas ce qu'il dit, mais à l'entendre hurler si fort, et en anglais, on devine que cet homme a de l'importance. En recevant sur leur table les bouteilles qu'il leur offre, ils ont la preuve qu'il est très important. J. J. Bourdage raccroche. Il garde les yeux baissés un instant, tout penché sur sa colère. Puis il lève son regard, silencieux.

— J'ai peut-êtr' été un peu raide avec vous, regrette l'Aubergiste, mais j' fais un commerce iousque le crédit ruine l'entreprise. Les gens boivent plusse qu'i' peuvent payer.

— La Compagnie peut payer et elle va payer!

— Pour vous aider à digérer les bêtises que j' vous ai dites, j' vous propose un verre, dit l'Aubergiste.

— J'accepte un verre avec plaisir, mais c'est la Compagnie qui va le payer celui-là comme les autres!

(S'épongeant le front.) Aujourd'hui, la Compagnie, c'est comme une voiture qui veut pas aller à moins de cent milles à l'heure...

L'Aubergiste choisit parmi les bouteilles: il se souvient de la marque préférée de J. J. Bourdage:

— Ah! les affaires sont dures... ben dures... Et on peut pus faire confiance... Le monde a pus de religion...

— Les affaires sont dures... Pour passer, faut être plus dur que les affaires. À votre santé, Boss!

— Bienvenue à l'Auberge!

Comment l'Aubergiste, qui a écouté la conversation téléphonique, pourrait-il se douter que J. J. Bourdage n'a pas téléphoné à Dallas? Il n'a même pas parlé à l'opératrice; il n'a même pas composé son numéro. Il a hurlé dans le combiné d'un téléphone sourd et muet.

— Cet été, dit l'homme d'affaires, j' reviens plus gros que j'étais. J'ai besoin de tout un étage de votre Auberge. C'est temporaire. En attendant d'acheter l'Auberge pour mon siège social...

— Louer tout un étage?

— Oui. J' viens entreprendre une Grande Affaire.

— Acheter mon Auberge?

— À soir, Boss, c'est le commencement d'une Grande Affaire...

Sur l'estrade, au microphone, un chanteur — est-ce une chanteuse? — dans un costume de paillettes, enroulé dans la lumière orange et rose comme dans une fourrure, miaule une chanson de chatte en espoir de matou. À la fin de son numéro, J. J. Bourdage marche parmi les applaudissements et prend le micro, très naturellement:

— J' sus pas chanteur ni chanteuse. J' m'appelle J. J. Bourdage. J' sus un businessman. J' le dis en anglais parce que si on dit hommes d'affaires, on a l'air de faire moins de r'venus! C'est moé qui ai offert la première tournée. Parce qu'i' se prépare une Grande Affaire, j' vas vous payer une deuxième tournée. J' vous conseille de prendre de la bière. Quand la Grande Affaire aura été mise en branle, on prendra le champagne. Pis dans ce temps-là, vous allez être ben heureux de me le payer. Ensuite, j' vous demanderais de dire à tous ceux qui ont une terre qui touche à la rivière Famine... oui, tous ceux qui ont la rivière Famine su' leu' terre, de venir me voir icitte à l'Auberge, demain, si i' veulent que la Grande Affaire soit leur Grande Affaire. En attendant, buvez pas trop, juste ce qu'i' faut pour faire vivre le Boss! Gardez-vous de la soif pour la Grande Affaire!

Les applaudissements sont plus heureux et plus nombreux que pour le chanteur-chanteuse. L'image de la prison lui revient, ce réfectoire aux murs gris, et les détenus qui frappent leurs gobelets de métal sur le métal des plateaux.

— Boss, s'y a que'qu'un dans les chambres de mon étage, i' faut les sortir.

— Oui Monsieur, on va libérer la place. C'est-i' certifié honnête, votre Grande Affaire? J' voudrais rien de déshonnête à mon Auberge...

— La Compagnie suit les lois de l'économie et de la finance mondiales.

Bien avant midi, le lendemain, des fermiers s'amènent à l'Auberge d'un pas méfiant, avec leurs chemises brûlées par le soleil et de la terre séchée à leurs bottes. L'Aubergiste leur offre à boire:

— C'est défrayé par la Compagnie de la Grande Affaire!

Les fermiers hésitent à accepter:

— Nous autres, on vient par curiosité. Quand on a reçu des cadeaux, dans notr' vie, c'était de que'qu'un qui essayait de nous fourrer.

— On s' méfie du fromage su' le piége à rats!

Il n'est pas dans leurs moeurs d'arrêter en plein jour à l'Auberge pour boire de la bière. Le jour a été créé pour le travail. N'être pas dans les champs à harceler la terre, cette bête indocile, c'est gaspiller cette belle lumière du jour. Les fermiers bougonnent, fument, hésitant à boire. L'Aubergiste a reçu l'ordre de ne pas tolérer un verre vide. À travers la fumée des pipes, des cigares et des cigarettes roulées entre les gros doigts terreux, il ne cesse de répéter:

— Quand on entreprend une Grande Affaire, i' faut fêter le commencement...

— Qui c'est qui va toute payer ça?

— C'est la Compagnie.

— C'est pas en payant de la bière à d'honnêtes fermiers qu'une Compagnie peut s'enrichir. Y a que'que chose de caché en dessous de ça.

— La Compagnie est mieux de nous faire boire plutôt que de donner son argent en impôts au gouvernement.

— Si la Grande Affaire commence dans la bière, on peut se demander où ça va finir...

— Y a un serpent caché dans l'herbe...

Les mains aux poches des pantalons vérifient si le rabat est bien boutonné par-dessus le portefeuille et si la chaînette retenant le portefeuille est bien assujettie à la ceinture.

Chapeau blanc à large rebord, J. J. Bourdage apparaît.

Les fermiers ont vu ce genre de chapeau à la télévision sur la tête des chanteurs de l'Ouest. Un chapeau aussi blanc que sa Cadillac blanche et aussi grand. Il a un porte-documents à la main et plusieurs bagues.

— Messieurs, je vous ai invités à venir me rencontrer parce que la Compagnie a besoin de vous. Elle veut vous demander quelque chose.

— C'est pas la première fois qu'on se fait fourrer par une Compagnie mais c'est la première fois qu'elle nous l' dit avant!

— La Compagnie aime pas faire des affaires avec les faibles, les naïfs, ceux qui se font fourrer. La Compagnie aime les coriaces, ceux qui se font pas fourrer, ceux qui ambitionnent de faire des revenus! C'est ceux-là qu'on aime. Aujourd'hui, j' veux parler seulement avec ceux-là. Les autres, allez vous faire fourrer ailleurs!

J' veux parler avec vous seulement si vous avez la rivière Famine su' vos terres. J' veux parler seulement aux hommes. Les femmes: la Compagnie est forte mais pas assez solide pour affronter des femmes!

De gros rires déboulent dans la salle puis les têtes se tournent l'une vers l'autre: chuchotements, rires, dénonciations: « Toé, la Famine passe à un mille de ta terre »; protestations: « La Famine passe au milieu de mon avoine comme une fente entre deux fesses »; blagues: « La Famine passe juste aux pieds de ma vache »; accusations: « Toé, t'as même pas de terre! » Le calme revenu, J. J. Bourdage recommence:

— La Compagnie vous demande de me laisser le droit de passer dans la rivière Famine qui touche à vos terres.

— Vas-tu passer souvent?

— Vas-tu passer en bateau, en bulldozer, à pied ou à cheval?

— Combien de temps?

— Ceux qui acceptent de donner à la Compagnie le droit de passage, écrivez votre nom sur la formule que je vous distribue. C'est avec ceux-là que j' veux faire affaire, ceux qui n'ont pas peur du risque. Quant aux autres, ceux qui hésitent, on pourrait leur donner le temps d'aller demander la permission à leurs femmes. Lisez le texte avant de signer. J' veux pas vous fourrer, moé. Fermez pas les yeux; vous êtes pas à la communion, là, vous êtes dans la finance.

Les fermiers lisent la formule. Et ils s'interrogent du regard:

— C'est ben la première fois que que'qu'un nous demande la permission de passer dans notr' Famine.

— Quand que'qu'un demande la permission, i' faut se méfier.

Hésitations. Réflexion. Enfin ils signent tous la formule. Satisfait, J. J. Bourdage vérifie soigneusement les dates et les signatures, ces grosses écritures d'écoliers appliqués et peu doués. Il range les formules dans son porte-documents dont il rabaisse le couvercle: les choses sont irrévocables maintenant.

— Messieurs, vous venez de me donner le droit légal, officiel, exclusif de passer dans la Famine qui coule su' vos terres. Ça veut dire que si, par exemple, je découvre de l'or, comme ça s'est vu dans l'Ouest, j'ai le droit de garder l'or que je trouve.

Les fermiers bondissent, protestent, piétinent et menacent: des taureaux furieux autour de J. J. Bourdage.

— La Compagnie veut pas vous fourrer; elle veut que vous deveniez ses associés dans une entreprise rentable selon les études de nos experts. La Compagnie veut des associés, pas des victimes. Des associés qui aiment le risque comme elle aime le risque. Une fortune, Messieurs, ça se bâtit pas avec de l'argent, ça se bâtit avec des risques. Des risques! Des risques raisonnables! Qui c'est qui a dit que les habitants canadiens-français étaient pas raisonnables?

Les fermiers s'apaisent lentement.

— La Compagnie vous offre de devenir associés à notre Grande Affaire. Voulez-vous devenir associés de la Compagnie?

— On sait comment faire pour entrer au ciel, mais comment est-ce qu'on fait pour entrer dans une Compagnie?

— J' vous suggérerais d'investir cinquante piasses dans l'entreprise. Ça, c'est pour le partnership.

— Qu'est-cé que ça veut dire en canayen-français?

— C'est un mot qui existe pas en canayen-français: on est toujours clients, jamais partner! Mais ça change! C'est des compagnies comme la Compagnie qui vont apporter le changement. Les cinquante piasses souscrites vous donnent le droit de recevoir toutes les informations que la Compagnie réunira après l'analyse approfondie du sol qui, selon certaines études incomplètes mais fondamentales, pourrait contenir du minérai d'or. Une carte vous sera fournie avec les détails particuliers des bords de la rivière, ce qu'on appelle en mots savants:

les anomalies de la conformation géologique. Les endroits où l'or se cache seront indiqués avec des petites croix. Je précise, j'insiste: chacune de vos terres aura sa propre carte détaillée de l'étude des berges de la Famine. Je répète: votre voisin ne connaîtra, ne verra que sa propre copie. J' sus franc. Si on découvre de l'or dans les berges de votre terrain, vous perdez vos cinquante piasses.

Chou Racine se lève:

— Au diable nos cinquante piasses si on trouve un trésor!

Un autre fermier, Thomas Boucher, le mari de la Couturière, lève la main pour demander la parole; il a une autorité certaine car le brouhaha des discussions et des souhaits s'arrête:

— Tu parles des berges: berges par icitte, berges par là. Si tu charches l'amour, tu te contentes pas de chatouiller juste le r'bord de la dentelle de la jupe du jupon. Non, t'essaies d'aller plus loin, j'espère. En tout cas, c'est la manière qu'on a icitte: aller plus loin. Comme tu cherches de l'or, pourquoi c'est-i' que tu te contentes de chatouiller seulement le bord de la Famine? Pourquoi c'est-i' que la Compagnie dédaigne de rentrer dans nos terres?

— J' sus franc. J' vous cache pas que la Compagnie veut s'enrichir. Donnez-moé chacun cinq mille piasses, pis on fouille vot' terrain, on le r'vire à l'envers sens dessus dessous et l'or, on le fait sortir comme une marmotte qui prend peur. Y a-t-i' que'qu'un icitte, dans la salle, qui peut risquer cinq mille piasses?

Les fermiers n'osent se regarder pour ne pas contempler dans les yeux des autres leur propre impuissance. Ils baissent la tête. J. J. Bourdage laisse s'étendre le silence, puis:

— Le défaut des Canadiens français, c'est d'arrêter en chemin. J' comprends pas comment on a réussi à se faire d'aussi grandes familles!

Un rire des ventres monte dans les poitrines, éclate

dans les visages des fermiers qui reprennent vie. Ils relèvent la tête.

— Personne icitte est prêt à risquer cinq mille piasses. Personne, sauf la Compagnie qui est prête à investir cinq mille piasses sur chacune de vos terres. À une condition: vous risquez de votr' poche 10 pour cent des cinq mille piasses que la Compagnie va investir. C'est une sorte de garantie morale. Mais j' sus franc: vous perdez votr' dépôt si on trouve de l'or.

— Et si on n'en trouve pas? s'inquiète un fermier qui crache son tabac en parlant.

— Une compagnie comme la Compagnie travaille pas pour perdre de l'argent. Si par malheur — et ça serait contraire à nos études préliminaires — si par malchance, y avait pas d'or icitte, vos cinq cents piasses investies, c'est-à-dire le 10 pour cent des cinq mille piasses de la Compagnie seraient converties en deux mille cinq cents — oui, deux mille cinq cents — actions privilégiées dans une mine qui va s'ouvrir dans les environs, dans un endroit que j' peux pas nommer pour éviter la spéculation. C'est pas loin d'icitte. Les mines d'or, c'est comme la mauvaise herbe; quand on en trouve une à une place, ça s'étend.

— Pourquoi, demande le mari de la Couturière, Thomas Boucher, pourquoi que vous suivez pas la formule: creuser tout de suite et payer après?

— Votre 10 pour cent, par rapport à mes cinq mille piasses, c'est une petite garantie morale: vous vous engagez à pas nuire au travail de la Compagnie, ni directement, ni par personne interposée. On a vu, à Rouyn, une bonne dame nous empêcher d'aller creuser dans son jardin, sous son carré de concombres. La Compagnie a creusé malgré la dame. Elle nous a fait un procès. Croyez-le, croyez-le pas, la Compagnie a trouvé en dessous des concombres de la dame assez d'or pour acheter le Gouvernement du Québec. La Compagnie veut pas vous fourrer. Voici les formules à signer. (Il en distribue à chacun.) Signez la formule, signez le chèque spécial. Rappelez-vous qu'investir, c'est ouvrir votre bas de laine pour laisser entrer les revenus! J' sus franc. Vous perdez vos cinq cents piasses si on trouve de l'or. Lisez toutes les lignes de la formule, même la petite écriture.

Les fermiers lisent. C'est un effort considérable. Ils sont silencieux et nerveux. Personne ne touche au stylo pour apposer sa signature.

— Y a que'que chose que j' peux comprendre, dit avec beaucoup de douceur J. J. Bourdage. Aujourd'hui, avec la libération de la femme, comme i' disent, un homme qui veut être à la mode est pus maître de signer un chèque sans demander la permission à sa femme. La Compagnie comprend ça. Moé aussi. Ceux qui veulent, vous pouvez aller demander à vos femmes la permission de signer un chèque. C'est triste. J' vous comprends. C'est l'époque.

Tremblants, les gros doigts terreux saisissent les stylos qui commencent à grincer sur le papier des formules et des chèques.

— Ceux qui ont pas peur de leur femme, faites les chèques à l'ordre de J. J. Bourdage, agent officiel.

Dès qu'un chèque est signé, J. J. Bourdage va le cueillir. Les formules s'empilent. Les fermiers ont tous apposé leurs signatures sur les formules et les chèques. Il leur fait apporter la bière.

— J' vous invite à célébrer avec moé le commencement d'une Grande Affaire. Mais avant qu'on soit réchauffés, j' voudrais vous dire deux choses. Premièrement: si vous avez pas osé aller demander la permission à vos femmes, vous devriez y aller. La Compagnie peut attendre. De nos jours, avec cette maudite libération des créatures, un homme est mieux de demander des permissions à sa femme, si i' veut pas trop souffrir au litte! Deuxièmement: si vous regrettez d'avoir signé, i' est encore temps. Y en a qui ont peur de prendre un risque, j' comprends ça. La frousse, c'est humain. L'argent, ça doit se faire dans la joie!

J. J. Bourdage proclame:

— À votr' santé! À la santé de l'or!

Il dépose les formules et les chèques dans son porte-documents dont il rabat le couvercle brusquement. Encore une fois, pour J. J. Bourdage, il est l'heure de devenir invisible:

J. J. Bourdage leur crie un avertissement:

— La Compagnie vous demande de garder le silence au sujet de cette affaire. Si vous avez un trésor dans votre maison, allez-vous le crier su' votr' toit?

Encore une fois, il lui faut partir avec ce qui appartient aux autres. Encore une fois, il a dans ses nerfs des vibrations: sont-elles de plaisir ou de crainte? Il marche sur le parquet ciré pour la danse du soir en glissant les pieds avec autant de crispations dans les muscles des jambes que s'il était grimpé au bord d'un toit très élevé. À son bras, le porte-documents a le poids d'une grosse pierre. Mais il a aussi la légèreté d'une aile qui battrait à son épaule. Il est honteux de cette sensiblerie; il voudrait, comme les autres, ne rien éprouver et s'adonner à ses entreprises avec l'imperturbabilité d'un parapluie sous l'averse. Dès que sa main dérobe quelque chose, tous ses muscles vibrent dans son corps. Il se déteste alors. Mais il craint ce jour où ses muscles deviendront ficelle. À chaque entreprise, ces mêmes idées folles reviennent pirouetter dans sa tête. Il attrape le téléphone et crie:

— Mademoiselle, c'est J. J. Bourdage de la Compagnie. Donnez-moé Dallas, Texas. Oui, Mademoiselle, la Texas Gold Mining. Hello! Please give me Mr. Selwinburger. This is Mr. Bourdage. Hello Sel! This is J.J.!

Les fermiers s'arrêtent de boire et de grogner pour l'écouter. Les fermiers écoutent cette langue étrange où il n'y a rien à comprendre:

— La Compagnie, c'est une grosse compagnie qui parle en anglais.

— J'ai compris! s'écrie un fermier. I' demande des trucks pis des bulldozers.

— J'aime pas ben ben voir ces bebites-là su' ma terre.

— Si c'est une grosse Compagnie... Les grosses compagnies se déplacent pas pour des ménées. C'est mon dire que ça va mordre icitte...

— Comment que ça se fait que c'est toujours des grosses compagnies américaines qui s'aperçoivent qu'on a des richesses?

— On a des richesses, paraîtrait, mais on vit maigres comme la queue du yâble.

J. J. Bourdage raccroche, se félicitant de son ingéniosité; tenir le doigt sur l'interrupteur, voilà un truc que n'a pas inventé Léonard de Vinci. Il va vers les fermiers:

— Premièrement, crie-t-il (il attend que se fasse le silence), j' vous offre une tournée. C'est la dernière parce qu'i' faut pas trop boire. Avant la fortune, y a le travail. Deuxièmement, j' monte travailler. Mes bureaux vont être dans l'Auberge. En attendant que la Compagnie achète l'Auberge — i' paraît qu'elle est pas à vendre, mais quand la Compagnie a décidé d'acheter... — j' serai au premier étage. C'est l'adresse iousque vous devez m'expédier vos femmes si elles renâclent.

Dans l'escalier, J. J. Bourdage voit apparaître son chapeau blanc à large rebord dans le miroir tavelé vissé au mur, puis il y voit émerger son visage, ses épaules. Cette image l'irrite. Il voudrait n'être vu de personne maintenant. Même pas de ses propres yeux. Il voudrait déjà être ailleurs.

Reste la dernière étape de son entreprise: fuir. Qu'il aimerait sauter dans sa Cadillac blanche et s'évader dans un cri de pneus sur le macadam! Il faut attendre, ne pas avoir l'air de fuir, ne pas avoir l'air de songer à fuir. Le temps est un bloc immobile où tout se fige. Il attend au milieu du temps, semblable à ces insectes enfermés dans un cube de plastique. Mais il vit! Boire. Il décroche le téléphone pour demander à boire. Puis il raccroche. Il ne doit pas boire aujourd'hui.

De nouveau, le temps immobile. Il s'allonge sur le lit. Il a passé tant d'heures de sa vie allongé sur un matelas, les yeux ouverts sur un temps qui ne passait pas. Bien sûr, il a vérifié les chèques. Mais les fermiers ont-ils signé de la bonne façon leurs chèques? Inquiet, il se lève pour revérifier. Quelques milliers de dollars. Il fait le compte: sept mille cent cinquante piasses seulement. Pourquoi, après avoir si longtemps travaillé à sa Grande Affaire, ne recueillir que si peu de fruits... Il ne pourrait même pas s'acheter une Cadillac blanche neuve. Il sera encore forcé d'en emprunter une. Toujours il prépare, planifie et organise de vastes opérations. Les recettes sont toujours faibles. Pourquoi est-il condamné à de Grandes Affaires et à de petits revenus? On lui a fait remarquer un jour: « C'est utiliser ben de la voile pour aller pêcher un petit poisson. » Où a-t-il appris à rêver si grand? Pourquoi inventer toujours? Les autres cueillent ce qui est devant eux, à la portée de la main et ils font de belles récoltes. Ils ont de moins grandes voiles mais leur pêche est plus grosse. Au fond, son plaisir est d'inventer, plus que de cueillir les fruits. Mais il faut cueillir!

Par la fenêtre d'un placard, enfant, il voyait la ruelle, les clôtures en planches grises et les balcons empilés d'où sortaient des têtes de vieillards, des visages d'enfants et, plus loin, la montagne avec des arbres et des châteaux cachés sous les feuillages dont il apercevait parfois une tour. Des châteaux gardés par des chiens, lui avait-on dit. Il irait un jour sous ces arbres, il apprivoiserait les chiens, il entrerait un jour dans les châteaux... Ceux qui ne rêvent pas récoltent plus que lui. Il faudrait cesser de rêver. Il ne possède pas d'avenir. Il ne possède pas de passé. Il lui reste le rêve. Ne pas rêver...

Partout autour s'agitaient des hommes et des femmes. Leurs visages étaient jaunes et pleins de rides. Comme de la boue séchée. Ils étaient cuits par le soleil. Leurs costumes étaient foncés et leur odeur n'était pas une odeur de la ville. Le visage des femmes était blanc;

elles étaient grosses et elles parlaient plus fort que leurs maris. Ils ne connaissaient que des gens qu'il n'avait jamais vus et quand ils disaient leurs noms curieux, il se retenait de rire. Ces hommes et ces femmes avaient des voix puissantes. On n'avait pas le droit, d'habitude, de parler aussi fort à cause des cloisons minces et des voisins qui écoutaient tout et qui racontaient tout aux autres voisins. Ces hommes et ces femmes ne savaient parler que de morts et de malades. Ils semblaient ne connaître personne de vivant! Ils parlaient du vent, de la pluie, de l'hiver, de l'avoine qui n'avait pas poussé, de la vache morte en accouchant et du veau qu'Arsène le boucher avait sauvé, ils parlaient du cheval qui avait la jambe cassée et de la misère, et de la misère et de la misère, des journées trop longues, de l'été qui ne venait pas, de la pluie qu'ils attendaient et « toujours être attelé à la terre, travailler comme des jouaux; on s' demande si l' bon yieu nous aime... »

— Et toujours attendre que la terre nous denne de quoué à manger...

— Pis quand on arrive au mois des morts, on sait pas si on va en aouère assez pour passer l'hiver...

— La terre, ç'a pas été créé par l' bon Yieu pour nourrir le monde; ç'a été faite pour enterrer les morts, surtout...

— Justement, aux funérailles du défunt Adrien Grussavoine...

— Lui, on en parle pas; si on y avait ouvert le corps, on aurait vu sa cervelle pas plus grosse qu'une crotte de lapin...

— Dites pas de mal des morts...

— Quelle misère que la vie et la mort!

— Savez-vous, vous autres, pourquoi c'est-i qu'on reste là, su' les mêmes roches, dans les mêmes maisons, pendant des générations, à attendre?

— Moé, j' dis qu'on passe not' vie à creuser not' tombe.

— La terre, la terre, i' faudrait fuir ça comme la peste.

— Quand on est Canayen français, on peut pas aller beaucoup plus loin que le boutte de sa terre.

— Y a des places iousqu'i' trouvent de l'or dans les terres; comment que ça se fait qu'on trouve jamais rien dans nos maudites terres?

— C'est-i' parce qu'on parle en français qu'on trouve rien?

— Tu jettes une poignée de grains dans cette maudite terre, pis trois mois après, tu récoltes une roche.

— I' faudrait laisser la terre, pis partir.

— Ça peut se dire tranquillement en fumant, mais ça se fait pas.

Dans le placard, l'enfant qui ne s'appelait pas encore J. J. Bourdage regardait les clôtures de bois, les enfants prisonniers des clôtures, les escaliers entortillés, les balcons gris, il regardait la montagne avec des châteaux cachés derrière les arbres: il n'était jamais entré dans ce pays étranger.

— Y en a qui ont laissé la terre pour venir dans les villes; on aimerait savoir si c'est ben mieux icitte…

Dans le placard où des caisses empilées portaient le nom des marchands de l'ancien village, l'enfant savait comment les choses se dérouleraient. Ces hommes et ces femmes attendaient une réponse de son père qui, lui, avait choisi de semer ses jours dans l'asphalte des villes. Ils espéraient qu'il leur dise avoir commis une erreur, qu'il avoue regretter l'ancienne terre. Son père ne répondait pas. Jamais l'enfant n'a su si son père aurait préféré retourner à la terre. Son père ne desserrait pas les lèvres à cette question des oncles et des tantes. Mais il se levait et venait se réfugier dans le placard. Ses mains aux ongles noirs croisées derrière son dos, il venait se placer devant la fenêtre et longtemps il regardait en silence les clôtures entrecroisées, les escaliers et les balcons enchevêtrés et, plus loin, la montagne avec les arbres qui cachaient les châteaux.

À quoi pensait-il? Voyait-il la terre où il avait passé son enfance? Il se mordait les lèvres. À la question des oncles et des tantes, il répondait en lui-même, dans le silence. Sa mère alors disait:

— La ville, vous savez, c'est aussi dur à labourer que la terre.

Et une femme à robe fleurie répondait:

— Au bout du compte, si vous avez labouré une terre, même si vous avez rien récolté, i' vous reste au moins la terre, tandis que si vous avez rien récolté en ville, i' vous reste rien, même pas une place pour vous faire enterrer.

Son père regardait, par-dessus la ruelle grise, les clôtures, les murs cabossés, les joints mal colmatés, vers la montagne des riches qui étaient propriétaires de la ville comme d'autres possédaient une terre. Ils ne venaient jamais dans ce quartier et ils parlaient en anglais derrière leurs fenêtres noires. Son père se taisait. L'enfant étouffait entre son père et la fenêtre. Il toussait et il sortait.

Tout à coup, il jette une pierre pour crever une fenêtre. Vivement, son bras plonge dans le trou étoilé et ses doigts fiévreux saisissent une montre. Et une autre. Puis une autre. Il s'enfuit. Il a osé. Enfin il a osé. Depuis tant de jours, il venait devant cette vitrine et il s'en retournait bredouille. Il n'avait jamais assez de courage pour briser la vitre. Enfin il a osé. Les montres à son bras sont cachées sous la manche de chemise. L'air n'a plus le même goût dans ses poumons. Autour de lui, les édifices sont moins hauts. Il a grandi. De toute sa hauteur, celle d'un oiseau qui survolerait la ville, il crache vers des hommes, au carrefour d'une rue, courbés dans les tranchées, occupés à creuser la terre, des hommes qui ressemblent à son père. Ils ne lui pardonneraient pas d'avoir cassé une vitrine, mais ils se pardonnaient de vivre écrasés le nez dans la terre durcie de la ville. Il s'inventera un nom. Il abandonnera l'autre à la malchance, pour qu'elle le dévore. Il rêve d'une grande voiture qui s'envolerait en criant par-dessus les vieilles maisons de brique appuyées les unes sur les autres. Non, il n'est plus un enfant comme le jour où les grosses femmes blanches en robes fleuries étaient chez son père avec leurs maris en costumes noirs; ils parlaient des morts et de la terre. Ils ne cessaient de parler ensemble que pour laisser glouglouter la bière dans leurs gros cous. Quand ils riaient, rarement, la bière éclatait avec les rires, éclaboussait les murs gauchement ruilés. Un homme toujours disait:

— Mon frère, si tu nous cachais pas la vérité, tu avouerais que tu brailles tous les soirs parce que tu t'ennuies de la terre...

— Annette itou s'ennuie de la terre; ta femme qui s'ennuie, ça devient, dans le lit, aussi pésant qu'une roche!

— Toutes les roches que l' bon Dieu a semées dans la terre, en même temps, l' nous les a mis dans le dos.

— Des fois, m'a va dire comme on dit des fois, on est si désespérés qu'on a pus d' tristesse assez pour être tristes.

— I' paraît que l' bon Yieu donne à ses p'tits oiseaux tout ce qu'i' leu' faut pour vivre. Y doit y avoir des p'tits oiseaux qui vivent mieux que nous autres.

— Les p'tits oiseaux, i' ont moins d'appétit que toé!

La pièce se remplit d'un embrun de bière. Les hommes aux visages cuits et les femmes rondes et blanches ensemble ont pouffé de rire et leurs cris ressemblent à des cris d'animaux terrorisés. Ils sont debout, ils dansent, ils rient, ils tapent du pied, ils échangent des coups d'épaule, le rire secoue et agite la graisse des femmes. Les visages cuits se fendillent. Ils rient comme s'ils avaient mal. Un portefeuille est tombé sur le plancher. L'enfant nage dans la houle des cris et des rires, ramasse l'objet, il sort, il descend l'escalier qui plie dans sa pourriture, il descend dans ce terrain où ils ont un droit de passage: un terrain grand comme « une pelletée de terre su' un mort », a dit l'un des oncles. L'enfant s'assied sur la dernière marche, il ouvre le portefeuille, compte les dollars — quelle fortune! — il recompte les quelques dollars et les replace dans l'étui de cuir. Il creuse un trou dans la terre durcie et poussiéreuse, il y dépose son trésor et le recouvre. Il remonte en vitesse et se réfugie dans le placard dont la fenêtre un peu plus haute que ses yeux l'oblige à se dresser sur le bout des pieds pour regarder vers la montagne. Le visage torturé par le rire, les hommes et les femmes boivent, dansent, trépignent, sautent presque toute la nuit. Quand ils s'endorment, ils tombent. Au matin, l'enfant se précipite dans l'escalier. Le portefeuille n'est plus dans son trou. L'enfant creuse, creuse sous la dernière marche de l'escalier. Le portefeuille n'est plus là. L'enfant creuse avec toute la force de ses ongles dans la terre. Il creuse autour avec une branche sèche, il pioche, il gratte.

— Charches-tu des vers?

— J' charche...

Longtemps encore, avec ses mains et une branche sèche, il creuse la terre. Et longtemps, son père le regarde du haut du balcon.

— Si t'as enterré que'que chose, tu creuseras jamais assez longtemps pour le r'trouver parce que le yâbe l'a tiré jusque chez lui.

— Je charche de l'or.

L'escalier tremble car son père a frappé du pied, en haut, sur le balcon et ses mots déboulent maintenant sur lui, avec un poids furieux. Il courbe le dos sous les coups:

— De l'or! De l'or! P'tit maudit fou! Dans not' famille, de pére en fils, on a fouillé la terre pendant des générations — plus longtemps que tu pourras la fouiller même si tu vis jusqu'à deux cents ans — et y a jamais personne qui a trouvé de l'or. T'aurais beau creuser pendant toute l'éternité que l' bon Yieu a inventée, tu trouveras pas d'or!

L'enfant entend les gros pieds bouger sur le balcon

là-haut et une porte se refermer. Il respire plus facilement. Il relève le dos. Ses doigts recommencent à fouiller le sol. C'est à cet endroit précis, sous la dernière marche de l'escalier, qu'il a enterré le portefeuille. Il creuse et creuse et ses doigts finalement rencontrent quelque chose qui n'est ni caillou ni terre durcie, du cuir, peut-être? Les doigts raclent la terre. Étendu et raide, le Notaire sourit comme si rien n'était arrivé. Il parle mais ses lèvres noires ne bougent pas dans son visage luisant. L'enfant n'a pas peur. Une vapeur rouge sort de sa bouche, en volutes, comme des lettres d'écriture qui se déploient et s'enroulent autour de l'enfant:

— Il y a plus précieux que l'or, c'est l'amour. L'amour ne vit pas dans la terre mais dans l'âme des hommes. L'homme qui aime n'a pas besoin de chercher de l'or.

Le Notaire sourit, mais sa bouche noire est immobile dans son visage gris. Son bras bouge et une main de plâtre violette tend à l'enfant le portefeuille qu'il a enterré. La peur saute sur l'enfant avec toutes ses griffes qui lui strient le corps.

— Qu'est-cé qui se passe, Monsieur Bourdage?

L'Aubergiste a allumé les lumières et il se tient ahuri dans la porte:

— J'ai jamais entendu hurler si f.rt et j'en ai vu, dans cette Auberge...

J. J. Bourdage s'assied sur le rebord de son lit, se frotte les yeux et tousse:

— Vous allez me changer ce maudit matelas à cauchemars.

La nuit est venue. Bientôt il se glissera sous la nuit comme une couleuvre dans un bruissement de l'herbe. Devant la glace, il tapote son visage. La barbe a poussé: chaque fois qu'il réalise une entreprise, sa barbe pousse plus drue. Il étend la mousse et se rase. Puis il pose sur son lit sa valise et son porte-documents. Il endosse une chemise propre. Il met son chapeau blanc à large rebord. Il prend, en chantonnant, les chèques dans le porte-documents et les transfère dans sa valise. Le porte-documents à la main, il descend au rez-de-chaussée:

— Boss, dit J. J. Bourdage à l'Aubergiste en lui donnant le porte-documents, mettez ça en sécurité dans votre coffre-fort. Y a là-dedans les contrats et les chèques. Faut en prendre soin.

Les fermiers ont oublié veaux vaches cochons. Dans un nuage de fumée plus épais que la nuit, ça chante, ça rit, ça crie et les bouteilles dansent et pirouettent. Quand ils aperçoivent le chapeau blanc, trois hommes se lèvent; à les voir avancer dans le brouillard de fumée, entre les tables et les chaises, J. J. Bourdage devine qu'ils sont aussi ivres que les autres. L'un d'eux se plante devant J. J. Bourdage, les poings sur les hanches:

— C'est pas juste: y en a qui ont le droit de trouver de l'or et y en a qui ont pas le droit.

— Comment que ça se fait que vot' maudite Compagnie lève le nez su' nos terres à nous autres? Si y a d' l'or dans la terre des voisins, j' vois pas pourquoi y en aurait pas dans la mienne.

J. J. Bourdage considère les trois hommes devant lui. Son esprit n'est pas encore libéré du cauchemar.

— Boss! la Compagnie leur offre une bouteille! Prenez vos bouteilles et venez me trouver à l'étage, dans la chambre qui me sert de bureau en attendant que la Compagnie achète l'hôtel.

J. J. Bourdage se hâte d'aller dans sa chambre éparpiller des vêtements, des objets et des cartes géographiques de la région. Les trois hommes arrivent, bouteille dans une main et portefeuille de l'autre:

— On veut que la Compagnie fasse des fouilles dans nos terres itou!

J. J. Bourdage déroule les cartes:

— Quels sont les numéros de vos lots?

Les hommes fournissent les détails.

— On va te donner nos chèques tout de suite.

Les chèques tombent sur les cartes déployées.

— La Compagnie prendra pas vos chèques pour

vous faire plaisir. Vos terres touchent pas à la rivière Famine.

— Touche à la Famine ou touche pas à la Famine, c'est pareil.

— Si y a un courant d'or dans la terre, c'est pas la p'tite Famine qui va l'empêcher de passer. Y a pas assez d'eau dans cett' rivière-là pour abreuver un veau.

— Ce qu'on veut, c'est la même justice pour tout le monde, la même chance!

— On veut que tu charches de l'or su' nos terres itou.

— Prends nos chèques; i' pusent pas.

L'on frappe à la porte.

— Amène-nous tes contrats, on va t' les signer, les maudits, les yeux fermés. On est pas des chiâleux. On est capables de signer un contrat sans l' lire!

— La Compagnie veut pas vous fourrer. J' peux pas prendre vos chèques même si ça vous ferait plaisir. R'gardez la carte. Vous voyez le rond. C'est là qu'y aurait de l'or d'après nos analyses. Vos terres sont en dehors du rond...

— Comme ça, l'automne passé, c'était pas un orignal que tu charchais, c'était d' l'or.

La porte de la chambre est secouée: on essaie d'enfoncer.

— Dans le rond ou pas dans le rond, nos terres sont capables d'avoir de l'or autant que n'importe qui.

La porte s'ouvre, comme si le mur se déchirait. D'autres fermiers arrivent brandissant leurs chèques. Voir affluer tant d'argent devrait lui être agréable. C'est une catastrophe! Cette machine à recueillir des sous, il l'a planifiée, il l'a soigneusement construite, il en a longuement limé chaque engrenage. Elle a la dextérité d'un pick-pocket. Mais elle a un défaut: il ne peut l'arrêter de fonctionner! Cela l'inquiète. Il a prévu des solutions en cas de panne mais il est désarmé par tant de perfection. La machine est une trop parfaite merveille. Il est urgent de fuir avant d'être pris au piège.

— I' faut que j'arrête de recueillir vos investissements. Les banques sont fermées. La Bourse est fermée. On est en train de faire des opérations illégales. La Compagnie va refuser les opérations. J' peux pas aller contre les lois de la Finance.

Bras étendus, il commence à pousser les fermiers hors de sa chambre. La porte refermée, il sortira par la fenêtre et descendra dans l'escalier de sauvetage.

— Si ta Compagnie est une vraie compagnie, tu sais ben que c'est elle qui fait la loi au Gouvernement.

— Demain, je reprendrai les transactions. Ceux qui ont fait le dépôt d'un chèque ici auront la priorité demain.

D'autres chèques tombent sur le lit.

— La Compagnie veut pas vous fourrer. Y a pas d'or partout...

Refoulés, les fermiers maugréent: protestations, menaces et propositions. Ils sortent, finalement, en laissant des chèques et une odeur de vache et de tabac. J. J. Bourdage ramasse l'argent et ouvre sa fenêtre. L'escalier de sauvetage brille sous la lune. À quelques pas de la dernière marche, l'attend sa Cadillac blanche. Il ramasse les vêtements éparpillés, saisit sa valise, enjambe la fenêtre. Non. C'est une erreur. Il ne doit pas partir comme un voleur! Il referme la fenêtre, ouvre sa valise, sème quelques vêtements autour de la chambre. Il doit redescendre au rez-de-chaussée dans la fête grondante. Avec le geste de celui qui rassemble ses forces avant de se jeter dans l'eau froide, J. J. Bourdage, sous son chapeau blanc, considère la scène. Joseph-la-main-coupée, qui est près de lui, crie:

— Monsieur, v'nez à un enterrement! On enterre not' pauvreté.

Des femmes et des jeunes filles sont venues se joindre aux hommes et J. J. Bourdage voit, dans la fumée, leurs têtes se tourner vers lui. À Joseph-la-main-coupée:

— La Compagnie vous promet pas de trouver de l'or. Ell' promet d'en chercher!

L'homme à côté a des pétillements dans les yeux:

— J' sus pas né d' la darniére avarse. Les Compagnies, j' les connais. Quand elles disent qu'elles vont commencer à charcher, c'est parce qu'elles ont déjà trouvé!

— Excusez-moé, dit J. J. Bourdage.

Il va parler à l'oreille de l'Aubergiste:

— À partir d'à cette heure, la Compagnie accepte pus de payer l'alcool. J' veux pas qu'elle soit accusée d'avoir noyé les facultés des habitants pour leur extorquer des signatures.

— Ayez pas l'air trop honnête, vous, on va s' méfier...

— Votre Auberge est toujours pas à vendre.

— NON.

— Ça fait rien, je l'achète!

À travers le brouhaha des rires et des paris sur l'avenir des mines d'or dans le pays, J. J. Bourdage croit avoir entendu son nom. Il lève la tête. On dit son nom. Dans les haut-parleurs. Sur la scène de l'orchestre, derrière le microphone, il repère des cheveux et une barbe. Et des jambes plantées sous cette touffe de poil. Les gens qu'il connaît ont plutôt les cheveux court rasés. On l'apostrophe:

— Bourdage! Écoute-moé! T'es un agent de l'impérialisme américain. Tu viens acheter not' patrimoine, terre par terre pour le restituer au grand capitalisme tentaculaire et multinational. Bourdage, t'es un traître à la nation québécoise. Bourdage, tu vis grassement de ton aliénation et tu profites de notre aliénation collective.

— C'est-i' le nouveau chanteur de l'Auberge? demande une femme prête à s'élancer sur la piste de danse.

Son homme la retient:

— J' sais pas, mais c'est pas un ben bon air pour danser collés.

— Ah! les chansons modernes d'aujourd'hui, ça a pas d'air et on comprend pas les paroles.

— Bourdage, continue la touffe de poil, quand nos ouvriers exploités vont souffrir des maladies des mines, toé, avec tes profits gagnés à la sueur de leurs fronts, avec ta fortune gagnée à hypothéquer leurs poumons, tu vas te promener avec les guidounes sur les mers d'eau chaude et de soleil.

L'Aubergiste coupe le courant électrique du microphone et il met un disque en marche. Les haut-parleurs lancent un bêlement d'amour. Personne n'écoute plus la chanson de la touffe de poil d'où sortent des petits bras et des petites jambes énervés.

Cet énergumène a donné à J. J. Bourdage le signal d'un départ urgent.

— Ça vous empêche pas de sourire? dit l'Aubergiste.

— Dans la vie, Boss, que'qu'un qui peut pas encaisser une insulte, i' est mieux de rester en dessous de la jupe de sa mére.

Le poids de la Grande Affaire pèse dans ses muscles. S'il avait transporté toutes les roches des terres de ce village, il n'aurait pas dans le dos une fatigue plus brûlante. Et cette soif... Il ne doit pas boire. Et fumer? Allumer un cigare pour s'entourer de sa propre fumée? Les fermiers perdront confiance s'il ne fume pas un cigare. S'asseoir. Il pénètre dans le nuage de la fête. Une chaise se présente devant lui. Des visages s'approchent sur lesquels luisent les rapides lueurs des bouteilles portées à la bouche.

— Pensez-vous qu'on a d' la chance de dev'nir riches?

Dans ce village perdu, sous cette nuit d'où il lui est interdit de fuir, il doit, une autre fois, inventer, mentir, jouer, improviser:

— Vous dire si vous allez devenir riches? J' pourrais vous l' dire. Ça vous ferait plaisir d'entendre ça. Mais la Compagnie veut pas vous fourrer. Seulement, j' peux vous dire que ça a jamais été la politique de la Compagnie de frayer avec des pauvres... Parce que la pauvreté, c'est un microbe qui s'attrape... Mais, vous savez, la richesse, c'est un microbe que vous pouvez attraper itou!

Un vieil homme, le crâne chauve et pointu, édenté, essaie de retenir l'attention de J. J. Bourdage:

— À mon âge! À mon âge! Pendant que les jeunes vont dépenser l'or à la pelle, moé, tout ce que j' vas pouvoir faire, c'est de m' faire enterrer dans mon or!

Le Cordonnier enserre dans son bras les épaules de J. J. Bourdage:

— Savez-vous, Monsieur Bourdage, que l'automne passé, vous avez été la risée du village? Vous vous étiez fait passer pour un chasseur d'orignal. On vous a cru. Seulement on riait à se décrocher les dents de vous voir chercher l'orignal le nez collé su' la terre comme si l'orignal était une petite bête pas plus grosse qu'un bleuet! Sainte Viarge, qu'on a ri!!! Mais vous, les filons d'or, les voyez-vous à l'oeil nu?

— Y a des habitants, dit l'Arrache-clou, qui sont allés voir au boutte d' leu' terre, à côté d' la Famine. Évidemment, i' avaient l'oeil tout nu, et i' ont rien vu.

— Quand j' pense qu'on pensait que vous charchiez l'orignal en dessous des plants de bleuets!

Autour de lui, il n'y a plus de visages, mais des bouches ouvertes qui laissent déborder des chutes de rires où l'odeur du tabac se dissout dans celle de la bière.

— La qualité importante chez un chercheur d'or, dit J. J. Bourdage, c'est la discrétion. Comme j' pouvais pas me déguiser en orignal, j' me suis déguisé en chasseur.

— Si tu peux voir qu'y a d' l'or dans not' terre de roches, peux-tu deviner combien j'ai de dents en or dans la gueule?

J. J. Bourdage ne peut pas refuser de relever le défi. Les bouches qui l'entouraient se sont fermées. Il n'y a plus que des yeux qui le visent, des oreilles qui attendent. J. J. Bourdage examine l'homme qui a les cheveux drus sur le front.

— Réponds! Si tu connais ton affaire. Une dent dans une gueule, c'est ben moins profond qu'une mine d'or en dessous de la terre.

— J'ai jamais dit combien exactement y a d'or dans vos terres, mais y a une chose sur laquelle j' me trompe pas, c'est que t'as payé ben trop cher pour tes dents en or. C'est de l'or de troisième qualité. C'est de l'or de dentiste… Tu t'es fait fourrer!

L'homme aux cheveux drus sur le front se lève en renversant sa chaise et il sort. Il saute dans sa voiture et on assure qu'il va se rendre à Saint-Georges-de-Beauce pour se faire rembourser par le dentiste. Les bouches qui rient réapparaissent dans la fumée.

— Moé, dit Oliva Beauchamp, mon pére s'est toujours douté que dans sa terre, y avait que'que chose. Souvent i' me montrait des brins brillants dans les roches. I' m' disait, le défunt pére: « Moé, j' pense ben que ça devrait être de l'or. » Et i' mettait ces roches-là su' un tas, à part, en faisant ben attention de ne pas les abîmer. Mon pére, i' a jamais pensé en parler à d'autres qu'à ses enfants. Jamais à sa femme. I' avait peur de passer pour fou.

— Oui, confirme J. J. Bourdage, i' faut être fou pour chercher de l'or.

— C'est une papauté d' bonne nouvelle! s'écrie un homme chauve qui a du poil dans les oreilles. J' sus tanné d'être un boeu' tranquille attaché à ma maudite terre qui veut pas suivre. J'ai une papauté d'envie d'être fou. Fou raide! Fou à attacher!

— Ça me prendrait pas une grosse motte d'or pour être fou!

— Une beurrée d'or le matin, une beurrée d'or le midi, une beurrée d'or le soir! Un homme doit se tanner…

— Ça fait combien d'années qu'on a une beurrée de misére le matin, une beurrée de misére le midi et une beurrée de misére le soir?

— On est tanné itou!

— Si on était tannés, on s'rait pas icitte!

— Si on serait pas icitte, on aurait pas d'or!

Sur la scène, les musiciens se débattent pour bombarder le pays de musique; ils lancent chaque son avec la force de celui qui lance des cailloux aux étoiles. Autour de J. J. Bourdage, toutes ces bouches parlent ensemble.

Il est seul. Il n'aime personne. Personne ne l'aime. Partir, il le veut, c'est urgent, il faut s'esquiver, mais là-bas, de l'autre côté de la nuit, au bout de sa route, il sera aussi seul qu'en cette auberge qui est devenue un immense drum sur lequel les musiciens en transes frappent au rythme des battements de leurs coeurs fous. Une bouche lui lance des mots humides dans l'oreille:

— L'or, toé, ça doit pas t'énarver; tu nages là-dedans à longueur de jour comme nous autres, on patauge dans la boue et le fumier.

J. J. Bourdage aurait envie de lui dire la vérité comme d'autres ont parfois la tentation de mentir. La vérité lui est interdite. Le long du chemin qu'il a choisi, la vérité n'existe pas. Ni la fausseté. N'existe que le prochain pas à faire. N'existe que le sol incertain de la grande nuit où il doit poser le pied du prochain pas.

— L'or? dit-il, i' paraît que plus on en a dans les mains, plus les mains deviennent grandes!

Comment peut-il réussir à rire grassement en disant cela? Il étend ses doigts et il les exhibe à la ronde en les faisant s'agiter comme des ailes d'oiseau.

— Hé! C'est vrai qu'i' a les mains grandes comme des pelles!

— De l'or! J' prie le bon Dieu de vous en montrer autant que j'en ai vu!

Le pas est fait. Il a posé le pied. Mentir lui a donné un plaisir qui l'étonne encore. Quand pourra-t-il partir? Tous ces visages réunis, ces bouches, ces rires, ces yeux qui reflètent les lueurs d'or de leurs rêves, ces bouteilles qui dansent, ces mains brunes dont les doigts ressemblent à des racines, tous ces gens forment un mur plus épais que ceux des cellules. Il ne peut que mentir encore:

— Y a que'que chose de plus précieux que l'or: c'est de croire qu'on peut en trouver. Qu'est-cé qu'y a en dessous du plancher?

— Y a cinq cents caisses de biére dans 'a cave.

— Qu'est-cé qu'y a en dessous des caisses?

— Le plancher de ciment.

— Qu'est-cé qu'y a en dessous du plancher de ciment?

— Du tuf.

— Qu'est-cé qu'y a en dessous du tuf?

Toutes les bouches, d'une seule voix, proclament:

— DE L'OR.

— Pourtant, continue J. J. Bourdage, ces terres sont parmi les plus pauvres du pays.

— J' cré ben: le foin pousse icitte comme la laine su' l' dos d'une vache...

— C'est généralement le premier indice qu'y a de l'or...

Disant ces mots, il a levé l'index où brille une grosse bague.

— L'or, dit Oliva Beauchamp, doit tirer en dessous toute la richesse des terres...

J. J. Bourdage pointe vers lui son index orné d'or:

— Y a dans le monde une chose plus riche que l'or. Ça j' peux vous l' dire parce que la Compagnie vous en parlera pas. C' qui est plus riche que l'or, c'est l'amour. De l'amour, j'en ai eu entre les mains plus que j'ai eu d'or. L'amour, si c'est l' bon Dieu qui a inventé ça, c'est la preuve qu'I' est plus que parfait.

Pourquoi J. J. Bourdage a-t-il des larmes aux yeux? Personne n'ose le lui demander. Les yeux autour ne savent plus où regarder. On se tait. Toutes les bouteilles ensemble sautent aux bouches:

— Donne-nous de l'or; ensuite, on cherchera de l'amour!

Les rires retombent sur lui avec la force d'une grosse vague.

— Quand arrive le temps de se coucher dans la terre, même si son cercueil est plein d'or, un homme doit être ben triste de mourir sans amour. Un homme qui meurt sans amour, c'est un fantôme ben triste qui va errer comme une âme en peine. C'est ce que le Notaire, un homme d'ici, disait.

Les gens qui l'entourent ont vu ses lèvres bouger

mais le chant tonitruant de l'orchestre a effacé les mots sur sa bouche. À l'arrière, dans une ombre caressée par les faisceaux de lumière colorée, les danseurs se déplacent précieusement: comme s'ils dansaient sur l'or. Nageur fatigué qui entrevoit trop loin la ligne de la rive, J. J. Bourdage se répète qu'il ne faut pas se laisser avaler. Continuer. Affirmer qu'il peut continuer. S'évertuer à ne pas abandonner. S'acharner. Ne pas fuir immédiatement. Attendre. Bientôt il pourra s'élancer dans la nuit. Il repousse vers l'arrière son grand chapeau blanc.

— Vous allez danser avec moé? dit une femme qui a la poitrine posée sur la table et les bras appuyés sur les épaules de ses voisins.

— Non merci. Je dois disparaître...

— Wow, là, toé, disparais pas trop loin, parce qu'on va te charcher.

— J' disparais dans mon lit, tout seul comme un saint homme. L'or, c'est une maîtresse qui est ben jalouse.

— Wow! Les hommes! Monsieur Bourdage s'en va forniquer son or. Ah! Ah!

L'on n'entend plus l'orchestre qui se démène sans voix. Le chanteur est muet. Les guitares ne roucoulent plus. Ce silence perce les oreilles. L'Aubergiste frétille sous l'appareil de télévision suspendu au plafond:

— I' parlent de l'or! I' parlent de l'or! I' parlent de nous autres!

Il a coupé le courant électrique de l'orchestre. Il crie tant qu'à la fin, tout le monde est tourné vers le petit écran:

— I' parlent de l'or! I' parlent de nous autres!

J. J. Bourdage s'écroule: le nageur épuisé se laisse couler. Autour de lui, on frappe des mains, on sautille, on verse la bière, les bouches hurlent et boivent, les yeux pleurent. L'Aubergiste remet le courant de l'orchestre qui explose de joie. Un délire claque dans les artères. Il se tait.

— I' ont dit qu'on a trouvé de l'or!

— On a trouvé de l'or!

Sentant sa chaise basculer, J. J. Bourdage pense: « C'est un arrêt cardiaque! » Désespéré, il se masse le coeur. Rouvrant les yeux, il comprend que des mains ont saisi sa chaise et qu'on le hisse à bout de bras en triomphe! Il n'ambitionne que de s'enfuir, mais il est sacré empereur. Il est Dieu par-dessus de ses nuages. Et ça hurle là-dedans, ça applaudit, ça ovationne. Les guitares criaillent et les drummers tapent comme s'ils accompagnaient un tremblement de terre. En dessous de lui, il voit partout des bouteilles de bière dont les reflets clignent:

— De l'or! De l'or!

Ephrem Poulin, fermier du rang 5, a signé le chèque et la formule cédant à la Compagnie le droit de prospecter sa terre. Son frère, Euchariste Poulin, qui est, de sa profession, homme d'ascenseur, a le droit de regard sur l'exploitation de la ferme paternelle, par la vertu du testament de feu son père. Ephrem a donc téléphoné à Euchariste à Montréal pour le prévenir de son investissement. Dans son ascenseur, Euchariste Poulin s'ennuie. Pour se désennuyer, il transporte avec lui, attaché à sa ceinture, un transistor dont il n'est pas très fier, car il est vieux. Un vieux modèle japonais. Toute la journée, il écoute CJMS, la station de la musique qui gigote. Très souvent, CJMS invite ses « milliers d'auditeurs » à lui communiquer les faits dont ils sont témoins: « L'information pour tous et par tous! » En échange de chaque nouvelle lue au microphone, CJMS décerne généreusement un prix d'information: un transistor. Euchariste aimerait bien être témoin d'un hold-up, d'un assassinat, d'un viol ou d'un accident. Mais il n'a jamais eu aucune chance dans sa vie. Né pour un petit pain sur une terre de roches, il n'a toujours eu droit qu'à son petit pain. Et il est fatigué de ces sandwiches jambon moutarde que depuis tant d'années, sans chance, il est condamné à grignoter. Le seul carnage dont il pourrait être témoin serait la chute verticale de son ascenseur qui s'écrabouillerait, et il ne serait plus là pour communiquer l'accident à CJMS. Aussi, quand Ephrem lui a téléphoné que l'on cherche de l'or dans la terre paternelle, il devine qu'on l'a déjà trouvé! Avant de demander sa part légale, il comprend qu'avec l'or vient la chance: il téléphone à CJMS qu'on a trouvé de l'or. La nouvelle est lue au microphone de CJMS. Un journaliste de Télé-Métropole l'entend et communique aussitôt que l'on a trouvé de l'or dans une région pauvre du Québec. Entendant cette extraordinaire découverte, un reporter de Radio-Canada, chargé de couvrir les événements spéciaux, a le souffle coupé. Comment Radio-Canada, avec ses 27 000 employés, a-t-il réussi à rater ce scoop? Quand sa respiration reprend, il court au studio et s'empare du microphone pour annoncer que « selon des spécialistes, l'on peut dire désormais qu'il y a de l'or dans Bellechasse et du pétrole en Arabie! » Un autre journaliste, chauve et ventru, qui laisse pousser sa barbe pour essayer de camoufler ces deux signes de l'âge mûrissant, a réussi, après beaucoup d'efforts, à faire monter dans sa voiture une jeune ouvrière qui faisait de l'auto stop. Sa radio joue Mantovani. La musique est interrompue par une lecture d'un bulletin spécial de nouvelles. Il n'écoute que distraitement, tout occupé à sourire à la jeune ouvrière. Bellechasse, or, Arabie: ces mots se rattachent ensemble tout à coup. Son sourire s'efface. Il enfonce l'accélérateur. La voiture fait un bond. La jeune ouvrière a un regard admiratif. Le journaliste chauve et ventru file jusqu'au premier restaurant d'où il téléphone à la salle des nouvelles que « de source généralement bien informée, l'on apprend que les Arabes pourraient probablement investir dans le développement des mines d'or du comté de Bellechasse au Québec. » À cause de l'importance internationale de cette nouvelle et tenant compte de ses possibles répercussions économiques, les nouvelles du sport sont interrompues à Radio-Canada et le speaker lit: « Les Arabes proposent au Québec une entente bilatérale concernant l'or et le pétrole: de l'or pour du pétrole ou du pétrole pour de l'or? Telle est la double question qui se pose. La réponse n'est ni dans la capitale provinciale, ni dans la capitale fédérale, elle est peut-être à Washington.» Et c'est ainsi que les villageois apprennent qu'il n'y a pas que des cailloux et des pierres dans leurs terres.

Entendant ce délire à la télévision, J. J. Bourdage a voulu se lever pour se sauver vers sa Cadillac blanche sans sa valise et sans ses chèques. Mais il a été soulevé dans les airs par la joie du peuple: dieu célébré, il est tenté de croire à ce que dit la télévision.

L'Aubergiste distribue des bouteilles sur les tables et il apporte à J. J. Bourdage cette bouteille de champagne qu'ont laissée dans leur chambre deux jeunes mariés qui ont sans doute craint de s'enivrer le soir de leurs noces. Il fait sauter le bouchon et asperge la tête de ses porteurs:

— C'est ça la vie des riches, c'est ça! C'est pas plus difficile que ça d'être riches!

Le plafond est trop bas. La salle est trop étroite. Tous sont debout et dansent dans une folie où la musique, la bière et les sueurs coulent à flots. Si la fête continue, les murs seront défoncés. Il doit incliner la tête pour ne pas se frapper au plafond. Sa chaise saute de bras en bras, les mains se tendent pour le toucher, mains d'hommes, mains de femmes; ces mains de femmes sont les plus curieuses de toute la Province! Les maisons du village se sont vidées. Les gens accourent vers l'Auberge du Bon Boire parmi les voitures énervées. Petit-Lecourt, attaché devant sa maison à la chaîne de son chien Arthur, voit le village s'agiter, des ombres et des voitures se croiser dans la rue principale comme aux soirs de noces. Il interroge le ciel étoilé.

— Mon homme! appelle sa femme.

Il vient vers elle, tirant sa chaîne.

— Arthur a besoin de sa chaîne.

Elle défait le noeud à la ceinture de son mari et elle accroche la chaîne au collier d'Arthur:

— On a trouvé de l'or dans nos terres, i' l'ont dit à la télévision...

— Tu vois, j'avais raison de charcher...

— Si y a de l'or, perds pas ton temps; prends ta pelle et va creuser!

Les nouveaux arrivants, à la porte de l'Auberge, hésitent, ahuris, mais ils sont happés par le tumulte et bientôt ils dansent et beuglent de triomphe.

— L'or! l'or! l'or! l'or! l'or! l'or!

Même la voûte du ciel vibre de tous ses échos. Des hommes ici et là pleurent: après une vie entière passée à lutter contre les pierres hargneuses, ils ne peuvent pénétrer dans ce rêve. Les femmes jubilent. Une grosse femme dit: « C'est trop, c'est trop! I' faut que j' fasse que'que chose! » Elle monte sur une table et se déshabille en lançant ses vêtements à n'importe qui. Une autre empoigne le bras d'un homme et l'amène se coucher dans l'herbe de la colline, de l'autre côté du parking de l'Auberge. Dans un coin, une vieille femme a trop de rhumatismes pour danser et sa voix est trop fluette pour hurler avec les autres. Elle récite le chapelet pour qu'avant sa mort Dieu reconstruise l'église! La Veuve Gros-Douillette, dansant, remue aux quatre horizons sa palpitante poitrine de veuve: « Si on a tant d'or, on va trouver des maris! » Debout sur son comptoir, l'Aubergiste réclame du silence, il crie:

— Y a un homme de Sainte-Germaine qui veut vous parler.

L'homme escalade le comptoir et il crie dans un porte-voix:

— J' m'appelle Siméon Gousse, j' sus vendeur de Buick et Chrysler. Si vous roulez su' l'or, i' faut rouler dans mes chars! Les chars sont là, en avant de l'hôtel. Si vous les voulez, vous les prenez. Vous paierez demain, avec de l'or comptant!

Tout le monde s'élance vers la porte de sortie. Seuls quelques-uns réussissent à passer à travers les coups de pieds et les coups de poings. Saignant du nez, les yeux noircis, ils s'emparent des voitures neuves et décollent en arrachant le sol sous leurs roues. Les autres reviennent, tristement. Fascinés par ce rêve qu'ils n'ont pu réaliser, silencieux, ils prennent place autour des tables débordantes de bouteilles. La femme qui s'est déshabillée cherche ses vêtements. Personne ne lui pince les fesses. La mousse se fige sur les goulots. J. J. Bourdage a connu le temps immobile des murs griffonnés de sa cellule. Ce soir, le temps est plus lent encore; il attend de trouver une porte dérobée. Bébert Lapierre aperçoit la casquette d'Antoine Bouton, le chauffeur de taxi:

— Antoine Bouton, conduis-moé au Château Frontenac, à Québec.

Le Château Frontenac est ce grand hôtel où tous les riches vont dormir au moins une fois avant de mourir.

— Et ta femme, Bébert? demande Antoine Bouton.

— On est riches! On fait comme les riches! La vie chacun de son bord!

La Veuve des Postes est respectée. Si on lui déplaît, elle peut garder des lettres dans son tiroir. Les gens se déplacent devant elle, les voitures ralentissent, les épaules amoureuses s'écartent et le bouquet qu'elle tient dans sa main n'est pas effleuré par la bousculade générale. Arrivée devant J. J. Bourdage, elle arrache violemment les violettes africaines et pousse le pot entre ses mains:

— Monsieur, y a-t-il de l'or dans ma terre?

Pour n'être pas impoli, il se retient de lui dire qu'elle est démente et il enfonce les doigts dans la terre riche et humide. Il heurte quelque chose de dur. Un caillou? Trop mou. Il retire l'objet: des billets de banque enroulés dans un sachet de plastique.

— Mais oui, Madame, y a de l'or dans votre terre!

L'on a le souffle coupé devant le miracle. L'on applaudit comme Jésus dut être applaudi aux noces de Cana pour avoir changé l'eau en vin.

Personne ne sait que la Veuve des Postes a l'habitude de mettre en sécurité, dans la terre de ses fleurs, des petites économies. Elle-même l'a oublié. Il n'y a plus une seule femme dans l'Auberge du Bon Boire. Toutes, elles courent fouiller dans leurs pots à fleurs. Les hommes sortent peu à peu à leur suite, faisant semblant de ne pas se hâter et de n'être pas curieux.

Un homme s'approche de J. J. Bourdage, une feuille jaune à la main.

— Bonsoir Monsieur le Maire!

— Vous vous souvenez de moé, Monsieur Bourdage?

— L'automne dernier, quand j' vous ai parlé de mon projet d'une Grande Affaire, vous m'avez encouragé. La reconnaissance, Monsieur le Maire, une lime de fer pourrait pas m'ôter ça de la mémoire.!

— J' voudrais vous dire officiellement, au nom des concitoyens que nous représentons et que nous défendons les meilleurs intérêts de, je voudrais vous dire — iousqu'est mon p'tit papier? i' est icitte — que l'or dans le village, ça va être ben bon pour la richesse et que ça va être ben mauvais pour la pauvreté. En mon nom personnel, j'aimerais ajouter une petite farce que ma femme trouve ben drôle: avec toute cette or, que personne aie la fièvre!

Il tend un télégramme:

— J'ai reçu ça de notre député.

J. J. Bourdage lit le message.

— J'ai répondu que c'est ben plusse à vous qu'à moé qu'i' devait envoyer un télégramme de félicitations...

— Monsieur le Maire, je vous estime tellement que si y a pas d'or su' vot' terre, la Compagnie va en faire mettre!

Il ramasse une bouteille de bière et l'offre au Maire qui s'assied respectueusement près de J. J. Bourdage, courbé sous la timidité d'approcher un grand capitaliste. À cette heure, il ne reste plus au village une seule plante qui ait encore ses racines dans la terre de son pot. Déçues, les femmes reviennent avec un peu de

tristesse sous les maquillages rieurs qu'elles ont ra-
fraîchis:

— La terre de mon pot de fleurs, c'est de la terre
prise su' ma terre. Y avait pas d'or dedans, se plaint une
femme qui n'ose s'approcher de J. J. Bourdage.

Il est responsable de chaque tressautement de la
vie sous le grand couvercle noir de ce village; il est la
source de chaque joie et de chaque déception. Il ne dé-
sirait que quelques chèques. Il ne désire que pouvoir
fuir en ayant l'air d'un honnête homme. Puis changer
de nom encore. Changer de coiffure. Changer de visage.
Essayer d'avoir une vie ordinaire. Et une autre fois, se
laisser emporter par le courant des rêves fous.

Les hommes aussi sont revenus. Comme une flam-
bée subite, la danse! Ces hommes et ces femmes tournoient, gigotent, se trémoussent, se bousculent. La
nuit émue s'enivre d'un jour merveilleux. Seul J. J.
Bourdage n'est pas heureux. Sa Grande Affaire déso-
béit aux plans méticuleusement préparés. Les bras des
femmes se le disputent. Les lèvres dans leurs cheveux,
il murmure:

— Le passé, i' faut l'enterrer. C'est aujourd'hui qu'i'
faut vivre. La vie va changer, Madame...

— Peut-êtr' ben, Monsieur Bourdage, mais mon
homme va pas se changer en or. I' va rester c' qu'i' a
toujours été: d' la...

Des mains d'hommes lui tapotent le dos, des bras
d'hommes enserrent ses épaules. Il déteste être aimé.
Cela l'irrite:

— I' me lichent les pieds; mais quand j' vas partir
avec leur saint argent, i' vont me tirer des roches!

Les villageois célèbrent leur propre naissance. L'orchestre crache du feu sonore. Les danseurs sont secoués
comme les gravats dans la passoire du chercheur d'or.
L'Aubergiste réussit à se faufiler jusqu'à J. J. Bourdage:

— Le téléphone!

C'est le salut! L'évasion. Il expliquera qu'il doit aller
rencontrer le président de la Compagnie à New York.

— Allô!

— Monsieur J. J. Bourdage? Attendez pour un moment, le Ministre veut vous parler.

— Le Ministre?

— Voici l'Honorable Ministre de la Justice québécoise.

— De la Justice!

Il n'y a plus personne dans l'Auberge, il n'y a plus de danse ni de musique; les murs se sont rapprochés: il ne reste plus que les murs d'une cellule...

— Allô Monsieur Bourdage!

— Oui Monsieur l'Honorable Ministre. C'est lui-même.

— Le Ministre de la Justice québécoise tient à vous féliciter personnellement de votre succès. Mon service de renseignements m'a permis, Monsieur Bourdage, de savoir par quels chemins semés d'embûches vous avez atteint le succès. Je vous félicite de votre ténacité, personnellement. Monsieur Bourdage, sans vouloir vous offenser, je dirais que si les enfants de choeur peuvent trouver les burettes de vin et l'encens, c'est pas des enfants de choeur qui trouvent de l'or! Ah! Ah!

Les rires du Ministre étonné de sa farce si comique risquent de fêler le combiné:

— Monsieur Bourdage, je voudrais maintenant vous parler officiellement, non pas en tant qu'ami, mais en tant que Ministre de la Justice québécoise. Les chemins semés d'embûches sont les plus difficiles, les plus boueux, les plus poussiéreux; ils salissent les mains; vous comprenez?

— Oui, Monsieur le Ministre.

— Si vous aviez jamais besoin de vous laver les mains — vous comprenez? — soyez assuré que comme Ministre de la Justice québécoise, comme ami personnel et comme actionnaire de votre compagnie, je vous aiderai avec plaisir.

— Actionnaire de ma Compagnie?

— Monsieur Bourdage, pour vous prouver ma bonne foi, je vous propose dès ce soir, d'acheter pour quelques petites centaines de dollars de parts dans votre compagnie. Mon comptable, lui, vous proposera un investissement plus considérable dès demain. Enregistrez les achats au nom de ma femme, au nom de jeune fille de ma femme...

J. J. Bourdage a peine à respirer comme si le fil était enroulé autour de son cou:

— Monsieur le Ministre, un homme qui me rend service, même si je le rencontre pas avant la fin du monde, je le reconnaîtrai, même si i' est ben magané, et j' lui dirai: merci. Merci à m'aider à être propre.

— Monsieur Bourdage, un de nos amis communs qui fait le métier curieux, très curieux, de Gouverneur de prison vous a recommandé à moi avec chaleur. Comme vous le savez, il vient de se construire une maison d'un goût exquis. Il n'hésiterait pas à l'hypothéquer pour acheter des parts de votre compagnie...

— Qu'il hypothèque rien! Je lui dois beaucoup. Quand un homme me rend service, je l'oublie pas.

— Monsieur Bourdage, je vous félicite. Ce sont des gens comme vous qui nous donnent la preuve que nous ne travaillons pas inutilement. Je vous demanderais aussi de transmettre mes félicitations à tous vos amis. Ce sont des coeurs d'or! Ah! Ah!

— Monsieur le Ministre, voulez-vous m'accorder un privilège? Accepteriez-vous de saluer mes amis?

— Oui Monsieur Bourdage, c'est avec un grand plaisir que je leur ferai l'honneur de m'adresser à ces braves gens.

Avec la force de la vrille qui perce le tuf, J. J. Bourdage fend son passage à travers les danseurs enserrés comme à la pierre l'or, et il arrache le microphone au chanteur:

— Mesdames, messieurs, silence, le Gouvernement veut vous parler.

À travers les villageois qui ne veulent plus s'arrêter de danser, parmi les couples qui ne veulent plus se séparer, poussant, frappant des coudes, heurtant du pied, il revient au téléphone, tenant le microphone. Des couples embrassés dansent encore et ils n'entendent pas le silence de l'orchestre, étourdis par la musique de leur propre bonheur.

— Êtes-vous là Monsieur le Maire? Monsieur le Maire!

Entendant son nom, le Maire sursaute et arrache trop nerveusement sa main du soutien-gorge de Madame Petit-Lecourt. Si nerveusement qu'il casse la bretelle. Le fier édifice s'écroule. La main du Maire a déjà volé au téléphone.

— Monsieur le Ministre, voici le Maire du village: il va répéter votre message.

— Bonjour Monsieur le Maire, dit le Ministre.

— Bonjour Monsieur le Maire, répète le Maire, fidèle aux instructions reçues.

Sa voix amplifiée par les haut-parleurs s'étend sur les couples. Ils ne différencient plus la voix postillonnante du Maire et la musique importée d'une île enchantée par un oiseau ivre qui l'a susurrée à l'oreille des musiciens plus ivres encore et qui la jouaient pour des danseurs soûls.

— C'est un grand honneur qui m'échoit...

— C'est un grand donneur qui s'assoit...

— Félicitations à Monsieur le Maire...

— Félicitations à toutes les mères...

— ...ainsi qu'à Monsieur Bourdage sans qui vous ne sauriez pas que votre terre vaut de l'or...

— ...ainsi qu'à Monsieur Bourdage qui vaut de l'or!

J. J. Bourdage est saisi au bras par une petite main chaude. C'est le Curé. Derrière lui, une jolie fille qu'il a déjà entrevue au presbytère.

— C'est votre enfant de choeur! ne peut-il s'empêcher de dire avec un clin d'oeil à la jeune fille.

Le visage du Curé rougit si violemment que J. J. Bourdage comprend qu'il a commis une erreur:

— Excusez-moi, dit-il essayant d'être adroit une fois encore; je sais bien qu'il y en a, Monsieur le Curé, qui préfèrent les petits garçons, mais les hommes avec les femmes, c'est naturel, hé? Un homme sans femme, c'est un homme triste, hé?

Comment un homme, étranger aux médisances du village, a-t-il pu d'un seul regard percer la conscience du Curé et y déceler ce secret? Puisque Dieu a donné à son oeil une telle pénétration, il n'y a rien d'étonnant à ce qu'il ait trouvé de l'or dans cette misérable terre.

— J'espère, dit le Curé, que vous rendez grâce à Dieu de ce don qui vous permet de connaître les secrets les plus cachés. J'espère que vous l'utilisez pour votre salut céleste.

— Comme l'a prouvé Monsieur le Curé dans son dernier sermon, dit Miss Catéchime, les dons de Dieu sont des pépites d'or que Dieu prête à l'homme pour son voyage terrestre; l'homme doit lui en rendre compte à son retour à la maison du Père.

— L'or, conclut le Curé, est un miroir qui doit refléter le visage de Dieu.

J. J. Bourdage lui tape sur l'épaule:

— Inquiétez-vous pas, Monsieur le Curé, la première chose qu'on va faire avec l'or du bon Dieu, on va lui construire un solage pour son église. Oui, Monsieur le Curé, un solage en or si vous le voulez!

Le Curé tombe à genoux et Miss Catéchime se serre contre lui prenant dévotement sa main:

— Ah mon Dieu! mon Dieu! mon Dieu!

Le Curé est devenu muet. Les paroles ne montent plus à sa bouche. Seules des larmes, paroles muettes, crèvent ses yeux. Les bras en croix, le Curé chuchote:

— Mon Dieu! mon Dieu! pourquoi accordez-vous tant de joie à votre fils qui vous offense tous les jours...

Miss Catéchime abandonne la main du Curé:

— ...et même deux fois par jour...

Miss Catéchime reprend la main du Curé:

— Et même trois fois! s'accuse-t-elle.

L'enfant de choeur a de gros sanglots qui secouent sa belle poitrine. Si J. J. Bourdage pouvait se confesser à elle, il poserait une tête repentante sur sa belle poitrine pardonnante. Il ne veut pas penser à cette chaleur où poser la tête. Il ne doit pas s'enliser dans ce désir. Mentir et fuir. Il ne désire rien que l'ivresse d'être assis dans une Cadillac blanche, tenir le volant, pousser l'accélérateur sur des routes cahoteuses, courbé sur le volant, la tête frôlant le ciel, avec l'envie de fermer les yeux, de ne voir ni le ciel ni la terre dans cette nuit qu'il faut traverser jusqu'à la lumière du jour, et se coucher dans une chambre semblable à une cellule coquette.

— C'est le bon Dieu qui vous a envoyé dans notre petit village.

— Disons que c'est la Compagnie. Mais le bon Dieu est probablement un actionnaire.

L'abbé et son enfant de choeur inclinent le front et joignent les mains. J. J. Bourdage s'entend dire:

— Monsieur le Curé, j'ai fait tous les péchés des hommes.

Mentir, dire la vérité, il n'y a plus de différence; c'est toujours mentir.

— Mon fils, l'homme est fait de terre. Et qu'y a-t-il de plus monstrueux que la terre? C'est sale, c'est de la boue. On retrouve — n'est-il pas normal? — de la boue dans l'âme de l'homme. L'homme est fait de terre. Dans la terre, ne trouve-t-on pas des bêtes dégoûtantes et visqueuses comme le péché? Les vers de terre, les mille-pattes, les larves, toutes ces bêtes sans yeux, toutes ces bêtes qui rampent et qui donnent la nausée. L'homme est fait de terre et en lui rampent toutes ces bêtes ignobles. Dieu l'a voulu. Mais Dieu a aussi voulu que dans sa créature de terre, il y ait toujours caché dans la boue parmi les animaux visqueux et rampants, de l'or. Oui mon fils, malgré vos fautes, sachez qu'il y a en vous des filons d'or qui courent dans votre pourriture comme des veines dans votre corps.

J. J. Bourdage aurait voulu rire, rire comme les autres, à bouche déployée, mais il n'en a pas le droit.

— Mon fils, je vais appeler la bénédiction de Dieu sur votre entreprise.

Le Curé lève les bras vers le ciel et l'on entend, plus fort que la musique enfiévrée par l'or, un vaste claquement d'ailes qui battent.

— L'Esprit Saint! pense J. J. Bourdage.

— Une hélicoptère! Une belle hélicoptère! Avec des p'tites lumières!

La danse s'arrête. Déjà des petits hommes pâles, descendus de l'appareil, s'agitent dans la salle, avec des fils emmêlés, des projecteurs qui braquent leur lumière impolie dans les visages, et des caméras qui fouinent. Les petits hommes pâles, qui ont des odeurs de femmes, demandent:

— Vous êtes heureux d'avoir trouvé de l'or dans votre pays sous-développé?

Les petits hommes présentent le microphone comme l'on donne un coup de bâton. Les villageois reculent le nez, la parole coupée au bord des lèvres. Rosette Sarrazin a le microphone sous le nez; elle voudrait parler mais elle a oublié la question. Tristesse Lachance, derrière elle, dit:

— On est ben contents.

La caméra essaie de repérer celui qui a parlé. Le gros oeil l'aperçoit:

— Mais on avait déjà de l'or, continue Tristesse Lachance. Vous connaissez la chanson:

Elles sont en or, elles sont en or
Ce sont de véritables trésors
Elles sont en or, elles sont en or...

— Dites-nous, mon brave homme, à notre vaste auditoire, qu'est-ce qui est en or comme ça?

— Les crottes de la petite chienne du Curé!

Un rire soulève le plafond. La vieille femme, seule à une table dans un coin, boit sa bière. Dieu, songe-t-elle, ne doit pas avoir souvent entendu un rire semblable monter de sa triste terre. Au ciel, entendra-t-elle rire les gens de son village? À cette question, son âme s'élève mais son corps est encore trop pesant. Si elle trouve de l'or dans son jardin, elle l'apportera en paradis pour le rejeter en neige sur la terre de ceux dont Dieu n'entend jamais le rire.

— Et vous, jeune homme, demande le petit homme pâle au microphone, que pensez-vous de ne plus avoir à travailler pour vivre?

Quelques-uns, à qui l'ivresse ne ferme pas les yeux, reconnaissent, auréolé par la lumière des projecteurs, le jeune chevelu et barbu qui a insulté J. J. Bourdage au commencement de la soirée:

— C'est officiellement l'exploitation des navets. Et vous autres, les gens de média, la culture des navets, vous en vivez. L'or, c'est de l'imposture. Y avait une fois un grand poète qui s'appelait Balzac. I' entend dire, un jour, qu'y a de l'or dans une ville d'Italie; i' monte dans son char et i' court en Italie. Quand on entend dire le mot « or », tout le monde devient navet, même les grands génies. Un grand peintre moderne, Guillaume Boche, a peint des gens si riches qu'i' mangent de l'or. Savez-vous qu'est-ce qu'i' font ces riches? I' chient de l'or. Oui Monsieur. Ça, c'est pas bon pour la santé.

Le petit homme pâle du microphone tourne la tête vers le petit homme pâle qui sue sous la caméra:

— Ces maudits habitants sont dans leur phase anale.

— Eux aussi! dit l'autre, criaillant comme une souris qui se fait mordre la queue.

— On a trouvé de l'or chez vous, quelles sont vos réactions, Grand-père?

C'est un vieillard ratatiné qui arbore une canne sculptée. Au lieu de s'appuyer sur elle, il la porte sur l'épaule comme on porte une hache ou un fusil.

— Moé jeune homme, j' te dirai que si on trouve de l'or aujourd'hui, c'est parce que nos péres, nos grands-péres, nos ancêtres, pis nos grands-méres, itou, ont braillé pendant des générations. Pendant des temps et des temps, nos parents ont vécu su' la terre comme des chiens qui rongent un os sec comme la pierre. L'or qu'on trouve aujourd'hui, c'est les larmes de nos péres!

— Ça va transformer votre vie?

— J'ai vécu plus longtemps que toé, jeune homme; j'espère seulement que l'or va pas se changer en larmes.

— Et vous, Monsieur, que pensez-vous de l'or?

— Ça brille en maudit! Vous savez, on aura pus besoin de lumières dans les rues le soir. On va enlever un peu de terre et l'or, en dessous, va briller à la lune. J' pense ben que le matin, on va être obligés de reprendre nos pelles et de remettre un peu de terre par-dessus l'or. Ouais, ça va être fatigant... On aura les moyens de se payer des nègres pour faire ça.

— Madame! Madame!

Une grosse femme, Rosette Sarrazin, s'est endormie, la tête sur l'épaule de son voisin. Elle ouvre des yeux piqués par la lumière des projecteurs.

— Dites-nous ce que vous pensez de l'or.

— Depuis que Jésus est arrivé dans le monde, les Rois Mages font chaque année un p'tit boutte de chemin su' la terre. À soir, I' sont arrivés dans not' village. Merci Rois Mages. Si i' vous faut d' la place pour mettre vos chameaux à l'abri, venez chez nous. Mais dans mon étable, y a pas de p'tit Jésus...

— Hé! annonce l'un des petits hommes pâles, j'en ai récupéré un qui est pas soûl... Hé Monsieur, dites-nous que représente l'or pour vous.

— Ben voici. Les riches s'attendent toujours à devenir pauvres. Pis les pauvres s'attendent toujours à devenir riches. On attend. Le monde entier attend.

— Vous avez pas besoin d'attendre puisque vous avez trouvé de l'or.

— À cette heure, on a peur en maudit de la perdre. Riche, j' me sens pas plus heureux que pauvre. Finalement, les pauvres devraient pas se plaindre. Pauvre, j'avais pas de soucis. Franchement, les pauvres sont ben plus heureux que les riches. I' a fallu que j' devienne riche pour le savoir.

Une femme sèche et pointue se précipite dans l'aire lumineuse des projecteurs. C'est la Veuve des Postes. Elle lève haut la tête pour offrir son menton volontaire mais fin à la caméra:

— Vous pensez, vous, que c'est cet individu qui a découvert l'or aujourd'hui...

Elle indique d'un doigt dédaigneux le chapeau blanc de J. J. Bourdage qui ne peut déguerpir sous l'oeil attentif et curieux des caméras.

— Voilà bien des années que l'or a été découvert, assure-t-elle.

Elle extirpe de son sac un papier enroulé qu'elle libère de sa boucle de ruban:

— C'est un papier confidentiel que la main du destin m'a confié quand je faisais mon travail aux Postes. L'auteur est un défunt. Paix à ses cendres! Écoutez comment il raconte sa découverte:

Terre d'or

J'ai trouvé les filons d'or
Interdits aux vivants de la terre.

Mort, je me promènerai sous terre,
En suivant la route des filons d'or
J'irai jusqu'à toi, mon trésor.

La Veuve des Postes enroule son papier, puis, se ravisant, elle le redéroule pour relire:

J'ai trouvé les filons d'or
Interdits aux vivants de la terre...

Elle enroule le papier, renoue la boucle et le remet dans son sac:

— Vous avez entendu: « filons d'or interdits aux vivants ».

Elle lance un violent regard vers la caméra:

— Messieurs de la Télévision, le Notaire Caillouette, qui était un grand poète méconnu parce qu'il a été trop modeste, avait découvert l'existence de l'or dans notre terre. Tous ceux qui viennent après sont des imposteurs!

Elle menace du doigt l'homme au chapeau blanc. J. J. Bourdage résiste aux petits hommes pâles qui veulent l'amener devant la caméra:

— Demain. Venez demain. Ce soir, c'est la fête.

— Si le Notaire a trouvé de l'or quand il était vivant, menace la Veuve des Postes, je vous prédis qu'il ne laissera pas violer sa propriété!

La caméra et le microphone ont déjà sauté ailleurs, devant la bouche édentée d'un vieux:

— Êtes-vous informé Monsieur, qu'un Ministère du Gouvernement a déjà commandité une étude du sol de votre région.

— La politique, nous autres, on cultive pas ça.

— Les fonctionnaires ont conclu que la population devait être déplacée vers des terres plus fertiles. Qu'en pensez-vous?

— Les fonctionnaires, mes enfants, ont le cul su' leu' chaises; nous autres on l'a su' l'or!

— Et vous, Monsieur? Vous êtes un habitant, ça se sent. Que vous suggère l'or?

— D'abord, vous êtes pas ben ben polis. On est des habitants, mais nous autres, on sait distinguer un homme d'une femme.

— Et vous, que pensez-vous? Si vous pensez...

Devant le microphone, Chou Racine, un petit homme rond, chaleureux comme un pain frais:

— Pendant not' élevage, on a appris plusse de légendes que de réalité. J' fais pas de reproche à parsonne. Quand on a rien, au moins, si on invente des choses, on est propriétaire de ses menteries. Une fois, après une tempête de pluie, on aperçoit au boutte du champ une arc-en-ciel belle comme si elle avait été peinturée en peinture fraîche sur le ciel bleu. Mon pére me dit: « Si j'étais moins pressé, si j'avais moins de vaches, moins de cochons, moins d'enfants, moins de tracas, j'irais trouver le pied de l'arc-en-ciel, parce qu'en dessous du sabot de l'arc-en-ciel, y a de l'or. Ben messieurs, moé, j'ai traversé les champs quasiment jusqu'à l'horizon, j'ai

197

grimpé par-dessus des montagnes de roches, j'ai rampé en dessous des branches de sapins, j'ai navigué drette su' la belle arc-en-ciel. Mais je l'ai perdue de vue. Quand j'ai dit à mon pére que j'avais pardu l'arc-en-ciel, mon pére m'a dit que l'arc-en-ciel était probablement partie pour un autre pays et que j'étais arrivé trop tard. Croyez-moé, croyez-moé pas, à l'âge où les bombes défoncent le mur du son, j'ai toujours cru qu'y avait de l'or en dessous du pied des arcs-en-ciel. Seulement, i' faut pas arriver trop tard. Aujourd'hui, c'est juste la bonne heure. Mon pére doit rire dans sa barbe, si y a pas le visage trop pourri...

Un des petits hommes pâles de la télévision monte sur la scène:

— Mesdames et Messieurs je vous demanderais de reprendre vos danses si pittoresques et si signifiantes. L'orchestre va recommencer à jouer. Dansez avec entrain. Nos caméras vont capter les images d'un peuple qui danse sur l'or.

— Pendant que le peuple danse, les Compagnies américaines achètent nos terres une à une, lance une voix, la voix du jeune homme chevelu et barbu qui n'est pas écouté.

— Donnez-vous la main, ordonne l'homme de la télévision, et ne soyez pas honteux de montrer votre fierté et votre bonheur au monde entier.

Les jambes se lèvent, se baissent, les corps se poussent à gauche, à droite; ils sautent, les mains se donnent aux mains; doigts croisés, ils forment un cordon de bras qui se tordent, se tendent, ondulent. La musique devient plus folle, elle perd la tête. Un même sang circule dans les veines des villageois, ils ont un même coeur. Ils dansent avec le sentiment qu'ils font le tour de la terre et que leurs pieds la font tourner comme un gros ballon. De plus en plus vite! La musique est le cri qu'ils ont dans la bouche.

Les joyeux villageois et villageoises éblouis, qui appuient leur ivresse sur celle des autres, se faufilent entre les voitures entassées, grimpent sur les capots, sautent d'une voiture à l'autre, ils s'insinuent par une portière, sortent par l'autre; cela rampe joyeusement, cela zigzague dans la nuit comme le lierre dans l'herbe; un orchestre joue pour eux de l'autre côté de la nuit. J. J. Bourdage est un anneau de ce serpent rieur de villageois en fête. Les deux mains qui serrent les siennes ont autant de poigne que si elles tenaient des pépites d'or. Atteignant la rue principale, l'unique rue, le serpent se dirige vers le haut de la montagne et court jusqu'à l'église, qui semble avoir été dévorée par de grandes dents noires. Autour de l'église, les gorges se rappellent les litanies et les pieds se souviennent des processions. La ronde ralentit pour s'immobiliser. La joie devient piété. Le silence de cette grande nuit au-dessus de l'église en cendres glisse froidement dans les visages et sur les épaules. Des cris, tout à coup, frappent la nuit comme l'éclair:

— Au voleur! au voleur! à l'assassin! au meurtrier!

Le Curé s'est souvenu — pourquoi? — du temps de son collège. En même temps, il s'est souvenu du temps où il régnait sur son église. Il s'est rappelé les applaudissements au théâtre de son Collège. Il s'est remémoré ses sermons durant lesquels personne ne somnolait contrairement à ceux de son confrère voisin. Il a laissé la main de Miss Catéchime et il a couru dans la cendre, entre les pierres écroulées, les longrines charbonneuses, les débris aigus, jusqu'à la chaire; l'escalier de métal a été tordu par les flammes, mais il n'a pas été dévasté. Il monte, sans rien voir, comme s'il escaladait la nuit:

— Qui c'est qui crie! Qui c'est qui crie?

— Allumez des lumiéres!

Des moteurs grondent. Les rayons des phares fouillent la nuit entre les décombres. Ils aperçoivent le Curé et l'éclairent debout, haut dans la nuit, et ses paroles frappent la nuit qui vibre comme la peau d'un drum:

— Justice, juste Ciel! Je suis perdu, je suis assassiné, on m'a coupé la gorge, on m'a dérobé mon or. Qui peutce être? Qu'est-il devenu? Où est-il, où se cache-t-il? Que ferai-je pour le trouver? Où courir? Où ne pas courir? N'est-il point là? N'est-il point ici? Qui est-ce? Arrête. Coquin, rends-moi mon or! Les villageois n'ont jamais vu leur Curé aussi douloureusement déchiré par le chagrin: il est en lambeaux. Même le soir où son église a été détruite, le Curé, en larmes, n'avait pas autant de chagrin. Une grosse main forte se pose sur l'épaule de J. J. Bourdage:

— Ça serait pas vous qui aurait pris son or?

Un homme qui a tant de chagrin a le droit d'être laissé seul, et de n'être pas accablé de consolations. Un homme a le droit d'être seul avec son malheur. La ronde est terminée. Les mains des villageois s'abaissent le long de leurs corps. Ils se retirent. Les voitures se dispersent. La nuit retombe sur le Curé dans sa chaire parmi les ruines. Il voudrait entendre les applaudissements enthousiastes des séminaristes et des abbés quand le rideau se fermait. Ce soir, la nuit est muette comme si un grand désastre avait tout démoli. Mais elle n'est pas complètement muette. On applaudit! Deux petites mains se frappent avec conviction! Miss Catéchime l'attend au pied de l'escalier. Le Curé interroge la nuit. Pourquoi est-ce si grand, une nuit? C'est trop grand pour un homme seul. Dieu n'aurait-il pas inventé la nuit pour pousser les hommes l'un vers l'autre, pour les pousser à se réunir dans la nuit, pour les amener à s'aimer? Le Curé touche aux cheveux de Miss Catéchime:

— J'aime mieux toucher à vos cheveux plutôt que d'avoir tout l'or du village!

Les villageois éparpillés ont envahi les étables. Ils détachent les vaches et les sortent à coups de pieds. Ils brisent les enclos des veaux. Les animaux étonnés obéissent en meuglant. Dans les champs, ils ouvrent les barrières, font tomber les clôtures:

— Nous autres, pis les vaches pis les veaux, on est libres!

Libres, les animaux ne savent où aller sous la nuit

du bon Dieu. Les taureaux ne s'approchent pas des vaches qui ne désirent que retourner à la paille chaude. Les bêtes sont inquiètes. Elles n'entendent que des cris qui n'appartiennent pas au langage habituel des hommes. Des enfants et des hommes qu'elles aiment les houspillent avec des gestes fous et des rires qui ne recouvrent pas le silence de la nuit:

— À cette heure qu'on a de l'or, on a pus besoin de vot' lait! Houste!

Sous les bourrades, elles appellent, elles marchent sans comprendre, elles courent, elles tournent en rond, elles cherchent les étables, elles cherchent le soleil.

— Quand j' pense, dit une femme, que j'aurai pus besoin d'aller m'accroupir en dessous de ces bêtes-là et de leur tirer le pis...

— Pouah!

Comment les bêtes soupçonneraient-elles la tristesse et l'espoir contenus dans ces mots? Elles meuglent, attendant de savoir où elles iront dormir. Parfois, elles reçoivent des coups de pieds dans les flancs et parfois des caresses sur le museau. Pourquoi des coups? Pourquoi des caresses? Chaque homme, chaque femme, chaque enfant poursuit son animal. Ils courent aussi loin qu'ils peuvent, ils poussent les barrières, démontent les clôtures; quand ils sont assurés d'avoir conduit leur animal assez loin pour qu'il ne puisse retrouver le chemin de l'étable, les hommes, les femmes et les enfants reviennent.

Tournant le dos aux bêtes, ils aperçoivent des flammes. Ils se hâtent. Les étables sont en feu.

— Finis les temps des étables, des vaches et du fumier; c'est le temps de l'or! dit un villageois qui, les bras croisés, regarde avec un sourire de satisfaction extrême, le toit de son étable ployer sous les flammes.

Quand les flammes s'éteindront, une nouvelle vie recommencera:

— Nous les femmes, on va être traitées par les hommes comme des dames!

— Finie l'odeur des vaches jusque dans nos dessous!

— Enfin, on va pouvoir acheter not' viande comme des gens civilisés. Acheter not' viande au lieu de la tuer... Et la payer comptant!

Les étables en flammes, au loin, ressemblent à des étoiles échouées sur la terre. Ceux qui viennent d'égarer leurs animaux s'approchent avec respect. Un villageois tend une allumette enflammée à J. J. Bourdage:

— Jetez-la dans mon foin sec pour que le feu prenne à mon étable, moé itou. Avec le p'tit vent du su', ça va brûler comme un dix piasses!

Le villageois déplie un billet de dix dollars, y met le feu et le lance dans le vent qui l'amène brûler dans le ciel. Une femme paralysée d'émerveillement regarde brûler son étable; les flammes peinturent d'ombres et de clartés rouges les murs de sa demeure:

— Regardez, on dirait que toute ma maison est en or!

Les flammes se gonflent, elles veulent prendre un envol dans la nuit. Les animaux chassés reviennent au bercail:

— Y a juste le couteau qu'elles peuvent comprendre, ces maudites bêtes! dit Arsène en dépliant la lame de son canif.

Il s'approche de la vache, tapote son cou:

— Pauv' vache, t'as pus d'étable...

Il sent une chaleur familière sur les doigts: il a enfoncé sa lame dans le cou de la bête qui, tête baissée, fonce vers son étable en flammes:

— Ton sang pisse pas assez fort pour éteindre le feu! crie Arsène.

Le feu meugle comme une vache et tout en quémandant une bière, il explique:

— Demain matin, j' commence à creuser ma terre en dessous de ma grange.

— Pis quand t'auras trouvé, tu feras une pierre tombale en or à ta vache!

Les automobiles parquées dans les champs et le long

de la rue principale débordent de rires gras et de chuchotements doux; sous l'ardeur des jeunes amoureux, elles
se trémoussent comme de gros crapauds en transe. Les
radios parlent fort, mais les jeunes amants en sueurs
n'entendent que leurs promesses chuchotées:

— Pour le mariage, j' vas t'acheter une bague grosse
comme mon poing. La reine d'Angleterre a pas pu s'en
faire payer une plus grosse!

À la radio, le Premier ministre affirme:

— Sous mon gouvernement qui construit la prospé-
rité, l'or va briller!

À la radio, le Chef de l'Opposition répond:

— Cette course improvisée à l'or est l'une des techniques de diversion que le Gouvernement utilise pour mas-
quer son inefficacité en face des problèmes économiques
réels.

Dans les voitures qui tressautent de plaisirs et
d'amour, les amants n'entendent que les « je t'aime... »

— Quand on aura de l'or, on va-t-i' se rappeler ces
bons moments-là?

Un jeune homme, à qui une jeune fille a murmuré
cette inquiétude, ne l'entend pas. Il pense à demain, le
jour où il touchera à l'or. Le corps de la jeune fille n'est
déjà plus ce qu'il désire caresser.

Sur toutes les routes, maintenant, des voitures
affluent chargées d'enfants qui pleurent, d'hommes et
de femmes aux yeux éraillés par les fatigues. Quand ils
mettent le pied dans le village, ils ne sont pas tout à fait
des étrangers tant ils ont rêvé à l'or.

J. J. Bourdage va de l'un à l'autre, refusant de fumer
avec l'un, refusant de boire avec l'autre. Il donne volon-
tiers la main mais il la retire quand une femme veut la
poser sur son sein.

— Pourquoi c'est que vous fumez pas? dit un homme
insulté de le voir refuser un cigare, qu'il a conservé dans
un tiroir de sa commode depuis neuf ans, dans l'attente
d'un événement à célébrer.

— J'aime pas la fumée, dit J. J. Bourdage, mais les choses solides: comme l'or!

Une femme s'empare de sa main; la femme est une flamme excessive:

— V'nez avec moé, dans le jardin. Mon mari court les vaches et les plants de tomates sont déjà hauts!

— Un homme comme moé doit être fidèle...

— J' sus si heureuse de l'or que vous avez trouvé que j' veux pas célébrer ça avec mon homme!

— Y a beaucoup d'hommes aux alentours, madame.

— Vous, j' devine ça, vous avez peur des femmes...

— C'est demain qui me fait peur...

La nuit s'étend jusqu'aux frontières de la terre; pourtant il se sent à l'étroit comme dans une cellule obscure où il doit compter ses pas pour ne pas se heurter au mur. Ces hommes et ces femmes, avec leurs visages joufflus, ressemblent à des patates. Mais lui, à quoi ressemble-t-il? Ces patates qu'ils portent en guise de visages leur appartiennent, mais lui, quel visage porte-t-il en cette nuit si noire où brille un or qui n'existe pas? Il a le visage indécis d'un homme qui fuit. À ces gens méprisés, il peut dérober leur argent, mais il ne pourra jamais extorquer une étincelle de joie. Le feu qui brûle les étables et les granges a incendié le plaisir qu'il prenait à réaliser sa Grande Affaire. Cette fête qu'il a préparée depuis longtemps, il n'est pas heureux de la voir crépiter comme un feu fou. Son âme frotte contre sa chair, sèche comme du sable. Cette fête n'a plus aucun goût. Son seul plaisir serait de remonter dans sa Cadillac blanche. Il retourne vers l'Auberge du Bon Boire. Le matin viendra. Les danseurs s'endormiront. Les feux mourront. Alors il partira paisiblement: sans regret et sans joie. Derrière un cerisier en fleurs, des petits sanglots. Des sanglots d'enfant peut-être. Ailleurs des rires. Ailleurs des meuglements. Ailleurs des cris de voitures. Il ne s'arrête pas. Toute fête a ses larmes. Il rentre à l'Auberge et son chapeau blanc est mouillé de sueurs et de rosée. Derrière le cerisier, Ti-queue, qui « coupait les taureaux » avant la venue des vétérinaires diplômés, et qui depuis est devenu opérateur de bélier mécanique, s'est emparé d'une jeune fille pêchée dans l'eau noire de la nuit. Il a réussi, malgré ses ongles et ses cris et ses ruades à l'étendre dans l'herbe où il la retient par les poignets, les bras étendus:

— Laisse-toé faire, supplie Ti-queue, on est riches, on a le droit!

— Non! non! pleure la jeune fille.

— Si ton pére est en maudit, j' lui donnerai un sac d'or.

— Non! J' veux pas avec toé!

— On est riches, on est couchés su' l'or!

— J' veux pas d'or, j' veux m'en aller.

J. J. Bourdage arrive à l'Auberge. La Cadillac blanche au parking est presque dégagée. Beaucoup de voitures qui emprisonnaient la sienne ne sont plus là. Peut-être pourra-t-il enfin...

— Boss! Hé! Boss...

Quelqu'un le tire par le bras.

— On a besoin d'un juge et c'est vous qu'on veut, Boss.

Il est conduit en face de l'église, sur le sommet de la montagne. Sous les taches jaunâtres des lampadaires, les villageois affluent vers l'église. La rue est dégagée de toute voiture:

— On a nettoyé la rue parce qu'on en a besoin, explique son guide.

Les villageois se rassemblent serrés devant l'église. Quand ils voient apparaître le chapeau blanc de J. J. Bourdage, ils s'écartent pour lui laisser le passage.

— On va vous expliquer, Boss, dit le guide, c' qui va arriver icitte sous nos yeux devant l'église, sous la grande nuitte du bon Yieu. Les deux garçons que vous apercevez dans les carrosses, c'est le gendre à Banane Couture et le gendre à Ovila Gornouille. Les deux gendres ont acheté des carrosses neu's, à soir, depuis qu'i' savent qu'i' sont riches d'or à péter. I' ont décidé de faire un concours. Pour le concours, i' ont mis en gage leu' carrosse neu' pis leu' terre. Chacun. L' gagnant va-t-être ben riche, mais i' s'engage à faire vivre le perdant et ses enfants et sa famille: à tous les premiers vendredis du mois, le perdant va avoir droit d'aller prendre une p'tite pelletée d'or dans la terre du gagnant.

J. J. Bourdage a cru apercevoir au loin l'aube ouvrir doucement les cils comme un oeil qui s'éveille. Il a espéré que le sommeil les emporterait tous avant que n'apparaisse la lumière. Ils veilleront longuement encore. Chacun s'attarde à contempler sa folie cachée.

— Ça fait que c'est vous, Boss, qui allez juger le concours. Vous avez vu l' boeu'?

Des fermiers installent un taureau en travers de la rue, entre deux voitures qui se tournent le dos. Avec un câble fixé à l'anneau du nez, ils l'amarrent à un poteau d'électricité. Puis, serrant la queue dans un noeud coulant, ils relient cette extrémité du taureau à un autre poteau d'électricité de l'autre côté de la rue. Ainsi le taureau barre la rue complètement. Sur le sommet de la montagne, en face de l'église, la rue est coupée par un mur beuglant. Au bas de la montagne, loin, dans la prairie, un ruban scintillant de phares de voitures. L'on accourt vers le village de l'or. J. J. Bourdage repousse son chapeau vers l'arrière. Ce geste indique qu'il est prêt à entreprendre sa tâche de juge. Une femme enlace son bras et serre contre lui son corps. Cette molle chaleur lui donne un frisson:

— J' vas vous expliquer le réguelment du concours, Boss. Icitte, sour nos pieds, on est au beau milieu du village. Le milieu officiel devant l'église. Les deux bouttes du village, c'est quand l'asphalte de la rue principale coupe. Après, c'est de la gravelle. Y a des témoins rendus là, aux bouttes du village. À chaque boutte du village, les carrosses vont s'installer le derrière su' la gravelle de l'aut' paroisse, mais le nez su' notr' asphalte. Le signal va-t-être donné par un coup de masse su' l'ancienne cloche de l'église qui est tombée là. Au son de cloche, faut

i

pas que le gendre d'Ovila Gornouille et le gendre de Banane Couture pensent que c'est l'heure de la messe. Faut plutôt qu'i' pensent à monter s' garrocher su' l' boeu'. Le carrosse qui frappe le boeu' le premier, c'est le gagnant. L'autr' va-t-être ben pauvre! Faut tuer l' boeu'! Les moteurs pétaradent. Les villageois se reculent. Les voitures s'écartent du taureau et se dirigent vers les limites du village. On attend. La cloche sonne. Du fond de la nuit, on entend l'écho des rugissements. Les moteurs sont en colère. Du haut de la montagne, on voit s'approcher les deux voitures, chacune sur son versant; elles bondissent de cahot en bosse. Leurs phares projettent des éclairs désordonnés. Tout à coup, le tonnerre les frappe en pleine face. Des vers chauds glissent dans les cheveux des villageois. C'est le sang du taureau qui a explosé entre les deux voitures. Quand ils osent rouvrir les yeux, les voitures flambent comme ils ont vu brûler leur église. Ils observent en silence. Le Curé bénit les deux victimes. Quand le feu n'a plus rien à dévorer, il reste du métal rouge entortillé. Il semble n'y avoir qu'une seule voiture, avec une autre voiture dans son estomac.

— Qui c'est le gagnant?

Entendant cette voix, J. J. Bourdage croit qu'on le tire d'un rêve.

— C'est-i' le gendre de Banane Couture ou le gendre d'Ovila Gornouille?

— Pensez-vous que le perdant, demande J. J. Bourdage, va avoir envie d'aller piocher une pelletée d'or dans la terre du gagnant?

— I' faut savoir qui c'est qui a gagné l'or de l'autre. C'est pour ça qu'i' ont fait le concours.

Le métal chiffonné jette des étincelles. J. J. Bourdage examine la boule de métal mâchouillé. Au ciel, les étoiles reflètent le rêve des hommes:

— J' fais serment sur votr' or que j'ai vu le nez des deux voitures toucher en même temps, *en même temps,* je l'ai vu, les flancs du taureau.

Des applaudissements enthousiastes approuvent son verdict.

— Quand l'église va être reconstruite, dit Miss Catéchime, on va placer les carcasses des voitures au-dessus de l'autel. Peinturées en or, ça va être beau, parce que ça va être un crucifix des temps modernes.

La femme accrochée au bras de J. J. Bourdage se presse plus fort encore contre lui et il se rappelle qu'elle est là:

— C'est-i' vrai, Patron, que ceux qui sont accoutumés de toucher à l'or aiment pus toucher le corps des femmes?

J. J. Bourdage ramène son chapeau sur ses yeux.

— Un homme doit choisir, Madame: l'or ou les femmes.

Elle étreint plus fort son bras. Il se dégage brusquement:

— Vivre dans l'or, Madame, c'est comme vivre en prison, fait-il d'une voix impatientée.

Il fraie son passage parmi les badauds assemblés autour des débris fumeux. Il quitte la rue principale, saute par-dessus une clôture entre deux maisons et se dirige vers les champs. Il trouvera là un arbre tranquille, une pierre où attendre que s'endorme le village. Tranquillement ensuite, il montera dans sa Cadillac blanche et personne ne le soupçonnera de s'enfuir. L'herbe est humide d'une généreuse rosée. Ses pantalons mouillés collent à ses jambes. La terre est bosselée de pierres moussues. Le village dans son dos, il avance dans une mer noire. À l'âge où les hommes ont des maisons et des enfants endormis dans des draps parfumés, il se trouve, lui, dans ce champ, à la recherche d'un arbre pour se cacher et attendre l'aube pour fuir. Et aller où? Quelle main invisible l'a conduit là? Il aperçoit contre le noir de la nuit la forme pointue d'une grande épinette. Il refuse de répondre aux questions que lui souffle la nuit. Pour couvrir la voix insinuante de la nuit qui l'interroge, il parle haut. Il se félicite, avec des fleurs de rhétorique, de la façon dont il a manoeuvré pendant sa Grande Affaire. La chance l'a servi. Merci la chance! Il a dû plusieurs fois se retenir de croire à son propre mensonge. Plus il parle, moins il entend, moins il voit la nuit. Serait-ce déjà l'heure de commencer à rêver à la prochaine entreprise? Personne ne pourra plus jamais faire croire à des fermiers que les cailloux de leurs terres sont des morceaux d'or, mais il sera toujours possible de faire croire quelque chose à quelqu'un. Il inventera une autre Grande Affaire. Inventer... J. J. Bourdage est seul parce qu'il invente. Les autres prennent, cueillent... dérobent. Lui, il invente...

La terre s'ouvre.

La nuit bascule. Il la voit la terre, très haut, très loin, à la place de la nuit. Il tombe en une chute lente, lente, lente dans la profondeur sans fin de la nuit. Sur son corps, la nuit se déverse comme si on l'ensevelissait. Il a culbuté dans une tranchée creusée par Petit-Lecourt et le Cordonnier impatients d'apercevoir de l'or. Attirés par les bruits de la fête, les deux aventuriers ont abandonné leurs recherches. La tête de J. J. Bourdage a heurté une pelle de fer et a rebondi sur une pierre. En son âge d'homme, sa pensée est noire. Sa chair sur ses os imite l'inertie de la terre. Aucune lumière. Aucune douleur. Aucune force. Aucune tristesse. Aucun regret.

Pourtant, dans la tranchée, on respire. Un souffle touche son corps. Un souffle qui ne se confond pas avec la fraîcheur de la terre. Des pieds pèsent sur la terre humide. J. J. Bourdage pense qu'il serait mieux de faire craquer une allumette.

— Ce n'est pas la peine, dit une petite voix qui ne lui est pas inconnue. Je vous vois très bien.

J. J. Bourdage s'efforce de voir.

— Vos yeux vont s'habituer à notre obscurité. Vous êtes nouveau dans le pays, mais vous saurez bientôt qu'il n'y a pas plus sombre que la lumière sur la terre...

J. J. Bourdage n'a rien à répondre; cette niaiserie...

— Vous cherchez de l'or? dit la petite voix. L'or, c'est de la lumière, n'est-ce pas? Si vous ne pouvez pas trouver la lumière sur la terre, vous ne pourrez pas la trouver dans la terre.

— J' veux sortir d'icitte au plus vite. Au secours!

Il gesticule. Il croit gesticuler. Mais il est immobile. Son seul mouvement est sa respiration. Une respiration lente. Il croit avoir eu la force d'arracher ses épaules à la terre et de s'asseoir: il voit! Il reconnaît le visage du petit Notaire amoureux qui lui tourne le dos et se met en route. Il le suit avec des mines de petit chien.

— Un homme qui aime, dit la petite voix, peut se passer d'or...

— J' veux sortir.

— Moi j'aime une femme et je n'ai qu'à dire son nom et la nuit devient, jeune homme, transparente comme une source. C'est pour cette sorte d'or qu'un homme cherche toute une vie.

— Au secours! J'ai peur des fous!

Le sentier où s'est engagé le Notaire est d'une fulgurante clarté: un éclair figé dans une noire luxuriance.

— C'est l'or! C'est l'or! crie J. J. Bourdage.

S'agrippera-t-il à ce filon d'or qui ressemble à la racine brillante d'un arbre dont le tronc s'épanouit si loin qu'il n'en voit pas les feuilles d'or? Devant lui, la petite voix:

— Maryitsa! Maryitsa! J'aime mieux être mort et t'aimer que de vivre et ne pas t'aimer!

J. J. Bourdage regarde le Notaire disparaître sous les frondaisons de l'ombre. Il le voit se confondre avec la nuit. Sûr de n'être observé de personne, J. J. Bourdage s'agenouille et touche le filon d'or. Cela est doux. Il l'effleure des lèvres comme le front d'un enfant.

— Maryitsa! Maryitsa!

Crier le nom d'une femme à l'écho, l'écouter répéter ce nom, appeler une femme comme le corps appelle l'âme, comme l'hiver appelle le printemps, prononcer dans le grand silence le nom d'une femme et entendre le silence entier se noyer dans ce nom: J. J. Bourdage a envie de cela. Une violente soif. Ses lèvres s'ouvrent pour pro-

noncer un nom de femme, mais le silence fige ses lèvres:
il ne connaît pas de nom de femme à crier dans la nuit,
dans le ciel, dans le vent. Il s'élance pour rattraper le
Notaire. Mais il percute un mur de terre et de cailloux. Il
s'affaisse, en pleurant, la tête sur une racine de l'arbre
d'or dont les feuilles, le jour s'approchant, miroitent de
millions d'étincelles.

Ce matin ressemble au matin de la nuit pendant laquelle l'église a été détruite. Il y a un souvenir de fumée
dans la lumière. Des villageois vont reprendre le chemin
des étables mais ils se souviennent tout à coup de les avoir
incendiées. D'autres regrettent d'avoir brûlé leurs étables, ils se souviennent d'y avoir vu jaillir les flammes,
mais les étables sont intactes parmi les autres bâtiments.
Des vaches errent, désespérées, autour des maisons. Il
y a des voitures renversées et cabossées dans les jardins.
Des vêtements perdus jonchent l'herbe. L'or ne brille pas
à travers le sol bossué. Des hommes et des femmes se
lancent des salutations ou des injures d'une même voix.
Les enfants braillent. Plusieurs villageois n'osent sortir
de leurs maisons. Le remords les retient. Ou bien une
certaine crainte de ne pas rencontrer le rêve de la nuit.
Le matin sur le village est le même qui revient passer tous
les jours, mais il apparaît aujourd'hui après un grand
rêve. Dans la rue principale, des voitures qu'on n'a jamais vues se bousculent. Des roulottes sont parquées
dans les parterres. Des enfants inconnus criaillent en se
pourchassant. Des inconnus se promènent, pelle sur
l'épaule. Des villageois ont envahi les champs et ils commencent à creuser:

— Si on trouve pas d'or, au moins nos fosses seront
prêtes!

Ils creusent avec acharnement. Ils mourront un jour;
pendant qu'ils vivent, ils ont besoin d'or.

J. J. Bourdage se réveille. Il a dormi comme jamais:
une nuit de dormant de chemin de fer! Ses mains sont
tachées de sang. Il se précipite vers le miroir de sa cellule.
Un mur l'empêche de passer. Un mur de terre. Appuyée

contre le mur, une pelle. Il y a du sang sur la pelle. Pourquoi s'imagine-t-il être debout? Il n'est qu'assis. Il se lève. Il voit un champ et des maisons réunies: un village qu'il n'a jamais vu. Il n'est pas dans sa cellule, mais dans un trou creusé dans un champ. Des hommes équipés de pelles ont l'air de chercher quelque chose. Ils piochent ici et là. Ses mains brunies de sang s'agrippent à la couenne et ses pieds le projettent en dehors de la tranchée. Ses vêtements sont couverts de vase. Il remarque au fond de la tranchée, un grand chapeau blanc taché de boue, de sang peut-être. Les hommes là-bas poseront leurs pelles et lui expliqueront les événements. Quelle histoire! Se coucher dans sa cellule et se réveiller dans un champ, libre!

— Le 2786 a perdu sa cellule, ah! ah! ah! ah! Veuillez la lui retourner si vous la trouv...

Il est bien assuré de n'avoir pas mis les lèvres dans cet alcool de vernis que des détenus rapportent des ateliers de peinture. Les hommes, pelles sur l'épaule, se dirigent tous vers lui. Tous ensemble, ils ont cessé de piocher le sol. Il ne sait pas qu'il a le visage recouvert de sang séché. Pourquoi le regarde-t-on avec tant de curiosité? Sans doute parce qu'il est étranger.

— Iousqu'est l'or?

— L'or, iousqu'on s'en va le pelleter?

— Vous auriez-pas vu ma cellule?

— L'or! Ennas-tu trouvé dans ma terre ou ennas-tu pas trouvé?

— L majuscule O-R-R-E.

— J'ai pas trouvé d'or, assure J. J. Bourdage.

Un des villageois a levé sa pelle prêt à frapper:
— Mon maudit bandit!

On crie à ceux qui entreprennent de creuser dans le champ voisin:

— V'nez icitte. I' paraîtrait que de l'or, y enna pas!

Se tournant brusquement, J. J. Bourdage détale.

Mais les villageois aussitôt l'encerclent, l'écrasent sur la terre:

— L'or? répète-t-il sans comprendre.

Ces hommes, avec leurs rides et leurs barbes et leurs dents, ressemblent à des chiens furieux. Soudain il se rappelle. Sa mémoire est limpide.

— L'or! j' m'en souviens. J' m'en souviens!

Il n'a plus l'air d'un homme qui ne reconnaît pas son visage dans un miroir. Les villageois retrouvent Monsieur Bourdage. Cette nuit, n'était-ce pas fête pour lui aussi?

— J' m'en souviens! L'or était dans un livre. Mais j' trouve pus le maudit livre. I' était dans ma cellule. Mais j'ai perdu ma cellule!

Quelque chose le frappe au visage: un caillou, une pelle, un pied ou un poing. Cela brûle. Cela ne fait pas mal.

C'est au village une coutume de regarder défiler, à l'automne, des voitures triomphantes portant une dépouille sur leur toit, chevreuil ou orignal. En ce matin de printemps, les villageois silencieux se recueillent quand passe une Cadillac qui porte, au lieu d'un chevreuil ou d'un orignal, un homme, J. J. Bourdage, crucifié sur son toit. Son sang dégouline sur la peinture blanche.

— L'or! réclament les villageois.

— L'or!

— L'or!

— C'est un homme qui va garder son secret…

— Son secret est notre secret…

28 mai 1975

DU MÊME AUTEUR

JOLIS DEUILS, roman, Éditions du Jour, 1964

LA GUERRE, YES SIR!, roman, Éditions du Jour, 1968

FLORALIE, OÙ ES-TU?, roman, Éditions du Jour, 1969

IL EST PAR LÀ, LE SOLEIL..., roman, Éditions du Jour, 1970

LA GUERRE, YES SIR!, théâtre, Éditions du Jour, 1970

LE DEUX-MILLIÈME ÉTAGE, roman, Éditions du Jour, 1973

FLORALIE, théâtre, Éditions du Jour, 1973

LA GUERRE, YES SIR!, roman, édition de luxe, 150 exemplaires, Éditions Art global, Montréal, 1975

1122 d 330

Distributeur exclusif pour le Canada:
LES MESSAGERIES INTERNATIONALES DU LIVRE INC.
4550, rue Hochelaga, Montréal H1V 1C6

IMPRIMÉ AU QUÉBEC